監修 京都国立博物館

トラりんと学ぶ 日本の美術④

異国への憧れ

淡交社

はじめに

　京都国立博物館（通称：京博《きょうはく》）のＰＲ大使・トラりんは、江戸時代の絵師・尾形光琳《おがたこうりん》（１６５８〜１７１６）によって水墨画で描かれた「竹虎図《たけとらず》」（京都国立博物館蔵）から誕生しました！　好奇心旺盛《こうきしんおうせい》なトラりんは、京博の魅力を発信するために今日も日本の美術を学びます。

　４巻シリーズの『トラりんと学ぶ日本の美術』第４巻のテーマは

「竹虎図」
尾形光琳筆
江戸時代（18世紀）
縦28.0cm　横38.7cm

「異国への憧れ」。古代から日本人は中国文化に憧れ、手本とし、水墨画や絵画の画題、陶磁器などを生み出してきました。また、安土桃山時代に流行した南蛮趣味に影響を受けた南蛮漆器、近代化が進む中で建造された京博の建物（明治古都館）には西洋の影響が色濃く反映されています。日本人が抱いた異国への憧れを伝える作品の鑑賞のポイントを研究員たちに教えてもらいましょう。

また巻末では、京博での教育活動について特集します。土曜講座や博物館ディクショナリー、京博ナビゲーター、文化財ソムリエなど、教育を目的とした取り組みを知ることで、京博での鑑賞がもっと楽しくなるかもしれません。

さあ、トラりんといっしょに、日本の美術を学びに行きましょう！

目次

はじめに 2

―1章― 水墨画 ［水墨画］

日本における水墨画の黎明 8
中国画家の筆様 12
スーパースター、雪舟 14
狩野派が編み出した真行草 16
関東で花開いた個性 19
水墨画をもっと知ろう！ 20
ほかにも見たい！ 水墨画 22

―2章― 中国の画題の絵 ［中国の画題］

中国への憧れ 26
様々に描かれる中国の画題 30
中国文人に憧れた南画家たち 33
広まる吉祥の画題 37
ヨーロッパへの憧れ 39
中国の画題をもっと知ろう！ 42
ほかにも見たい！ 中国の画題 46

3章 陶磁器 ［陶磁器］

中国と同じように荘厳したい 52
京焼での中国模倣のはじまり 55
煎茶趣味の流行 57
京焼に磁器をもたらした奥田頴川 59
アレンジを加えながら模倣する 62
陶磁器をもっと知ろう！ 64
ほかにも見たい！ 陶磁器 66

4章 南蛮漆器の発展 ［南蛮漆器］

海外でも人気を博した日本の漆器 72
キリスト教と漆器 75
「箪笥」は新しいかたちだった?! 81
海外での漆の手入れ 82
南蛮漆器をもっと知ろう！ 84
ほかにも見たい！ 南蛮漆器 85

番外編 明治古都館と表門

片山東熊の設計 88
調整を重ねた設計 90
毘首羯磨と伎芸天 93
表門のデザイン 95

京博をもっと知ろう！④ 京博の教育活動

京博での教育活動 98
京博ナビゲーター 101
文化財ソムリエ 104

トラりんの絵日記 109

研究員紹介 110

装丁・デザイン／三上照正（キャスト・アンド・ディレクションズ）

所蔵先を表記していない作品は全て京都国立博物館の所蔵品です。

1章

水墨画

日本における水墨画の黎明

トラりん（以下　）　こんにちリン！　トラりんだリン！

ボクは京都国立博物館のＰＲ大使として、京都国立博物館と文化財の魅力を伝えるべくがんばっているリン☆

そのためにも、京都国立博物館にあるたくさんの美術作品について学んでいるよ♪　あ☆　あそこにいるのは森研究員！

森研究員（以下　森）　やあトラりん、元気かい？　いつもＰＲ大使のお仕事を頑張ってるね。

えへへ☆　ありがとリン♪　ところで森研究員もボクに何か教えてほしいリン。

森　それじゃあ、水墨画はどうかな？　とても面白いよ。

ボクは水墨画生まれだから、くわしいお話が聞きたいリン！

森　ボクで良ければ教えてあげるよ。一緒に水墨画について勉強してみようか。

水墨画って墨で書かれているんだよね？

森　そうだね。トラりんが描かれた「竹虎図」も墨一色で描かれた絵だから、トラりんにも関係あるね。

うん！　水墨画に興味津々だリン♪

森　まず墨で描いてあっても、イラストみたいな線だけで表す絵ではあんまり水墨画って呼ばないんだ。墨の濃淡を生かしてものの質感とか光の陰影などのニュアンスをつけたもののことを言うことが多いね。

風景が描かれている作品を見たことあるリン☆

森　中国の洞庭湖《どうていこ》あたりの名勝を描いた「瀟《しょう》湘八景図《しょうはっけいず》」などが有名だね。水墨画の色々な技法は、中国の唐時代の後半に山水画の発

展にあわせて確立したと言われているんだ。8世紀頃のことだね。

8世紀……1300年もむかしってこと?!

森　日本だと奈良時代に当たるね。残念ながら、最初期の水墨画作品っていうのは日本にも中国にもほとんど残っていないんだ。でも、奈良時代に墨の線で描かれたすごく素朴な山水風景の絵があったり、それに古い仏画や絵巻には岩などの描き方にちょっと本格的な水墨の筆づかいが見られたりするから、もう平安時代頃には日本人も水墨のタッチに親しんでいたんだろうね。

その後、鎌倉時代になると、かなりの数の水墨画が日本に輸入されるようになるんだけれど、この影響により、その後、日本にも水墨画を描く画家がたくさん生まれるんだよ。

中国から水墨画を持ってきたのはどんなひとたちなの?

森　一番は恐らく、禅宗の関係者たちだね。

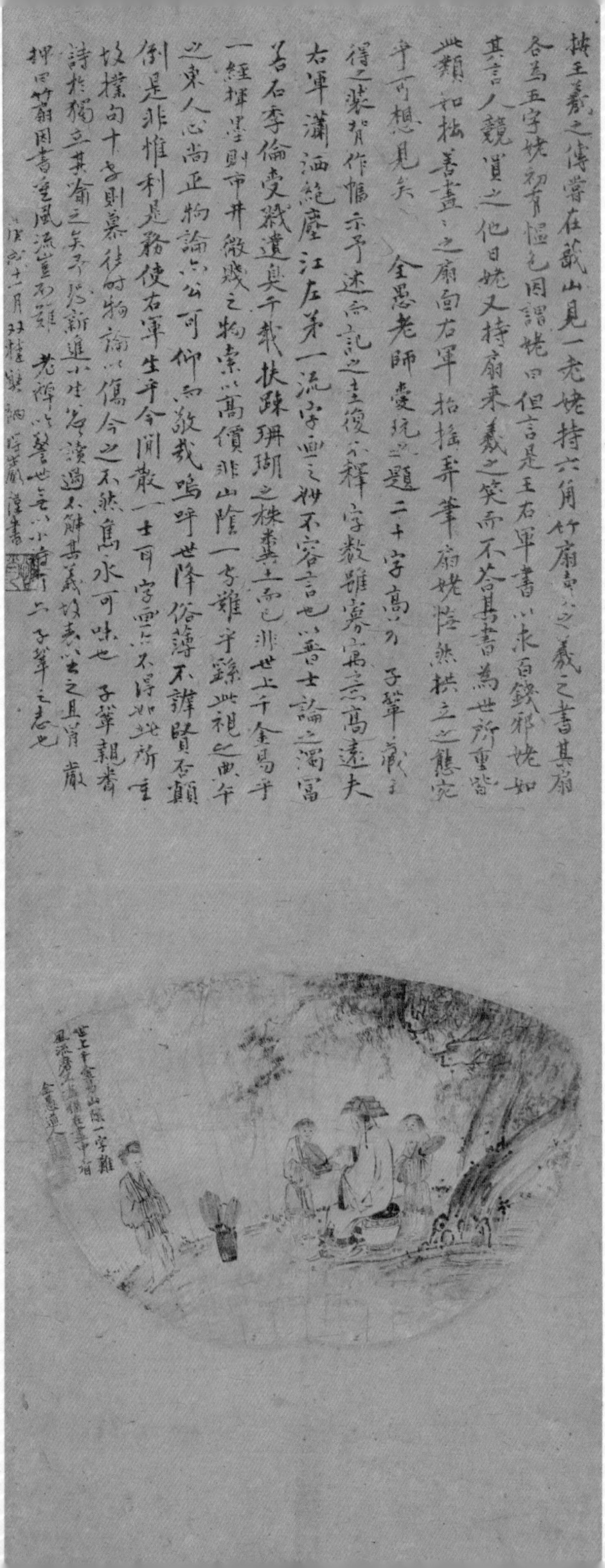

王義之書扇図《おうぎししょせんず》

重文「王義之書扇図」　如拙筆
室町時代（15世紀）
縦83.1cm　横32.6cm

鎌倉時代には中国から大勢の禅僧が来日し、日本からも中国に禅を学びに行く僧侶たちがいた。そうした人々が、中国の禅寺やそれをとりまく上流社会で流行していた水墨画を鑑賞する文化を日本に伝えたんだ。当時の水墨画の多くは、鎌倉幕府や朝廷で高い地位に就いていた人たちや、彼らが庇護した大きな禅寺などにあったようだね。

でも、それは中国で書かれたものなんだよね？　日本人は水墨画を描かなかったのかなあ？

森　中国で、ある程度の絵の描き方を学んで来た禅僧もいたし、日本で頑張って試みた人もいたんだ。例えば鎌倉時代末の黙庵《もくあん》という人は中国に渡り、牧谿《もっけい》という画僧がいた寺に暮らし、「牧谿の再来」と呼ばれるほどの画才を示した。黙庵は日本に戻ることなく中国で亡くなるんだけど、その作品は日本に逆輸入されて伝えられ、彼は日本人からは長らく中国人だと思われていたんだよ。

すごいひともいたんだリン♪

森　さらに室町時代になると、水墨画は日本にすっかり定着するようになるんだ。名人が出て、色々な流派が出来て、どんどん裾野が広がっていく。禅僧でありながら足利《あしかが》将軍の近くで水墨画を描いた如拙や周文はその代表的な一人だよ。

如拙の作品としては妙心寺《みょうしんじ》の塔頭《たっちゅう》・退蔵院《たいぞういん》が所蔵している「瓢鮎図《ひょうねんず》」が有名だけど、京博にも「王義之書扇図《おうぎししょせんず》」があるよ。

変わったかたちに絵が描かれているリン☆

森　絵の上に書かれている賛によると、この絵は元々、大岳周崇《だいがくしゅうすう》（相国寺《しょうこくじ》第10世）が如拙に描かせた団扇だったものを大岳の弟子の子鞏蔵主《しきょうぞうす》が掛物に仕立て直したようだね。「瓢鮎図」もそうだけど、絵の上に賛が書かれているのもポイントで、絵と賛が一体となった世界を構築しているのがこの時代の特徴だね。

中国画家の筆様

森　室町時代には中国の絵画や陶磁器、文具などが「唐物《からもの》」と呼ばれて人気を博した。でも、本物の唐物は貴重品だから簡単には手に入らない。それに中国の画家は襖《ふすま》や屏風《びょうぶ》のような日本人の好きな形の絵はあんまり描いていない。そういう時、どうしたら良いと思う？

如拙みたいなひとたちに描いてもらう？

森　正解。山水や花鳥、人物などのテーマとともに「夏珪様《かけいよう》」や「牧谿様」というように、描いて欲しい中国の画家の名前をつけて注文するんだ。「〇〇様」っていうのは「〇〇風」ってことだね。

すごいリン！　当時の画家は中国の有名な画家みたいな絵が描けたってこと？

森　筆遣いやテーマの傾向を真似た、あくまで「〇〇っぽい」絵だけどね。それでも、画家ごとの絵の雰囲気やタッチなどを理解し、それなりに再現できる技術があったのには違いないね。例えば、宗継《そうけい》という画家が描いた襖絵があるんだけど、見比べて何か気づくかな？

う～ん、風景と……描かれているものが違うのはわかるんだけど……。

森　そうだね。画題が違うね。一方は険しい山々や流れ落ちる滝、建物などを描いた山水図で、もう一方は芦の生える水辺で遊ぶ雁《かり》の群れを描いた芦雁図《ろがんず》だね。もう一つ、描き方が違っているのがわかるかな。

「山水図」よりも「芦雁図」の方が柔らかい印象だリン。

森　「山水図」は夏珪様、「芦雁図」は牧谿様で描かれているんだよ。この二つの絵は、同じ時期に同じ建物の中の襖に描かれたみたいなんだけれど、それぞれ「山水図は夏珪様で、芦雁図は牧谿様で」描いたことが記録でわかっているんだ。

山水図襖《さんすいずふすま》

重文「山水図襖」(部分)　宗継筆　室町時代(15世紀)　縦169.3cm　横115.7cm

芦雁図襖《ろがんずふすま》

重文「芦雁図襖」(部分)　宗継筆　室町時代(15世紀)　縦169.3cm　横115.7cm

天橋立図《あまのはしだてず》

スーパースター、雪舟

森　宗継と同世代にとても有名な画僧がいるんだけれど、わかるかな？

「竹虎図」を描いた尾形光琳《おがたこうりん》さんは江戸時代のひとだし……うーん、誰なの?!

森　雪舟《せっしゅう》という名前を聞いたことないかな？

あるリン！　国宝の絵をたくさん描いたすごいひとだリン！

森　そうだよ。雪舟はとても人気があった人で、作品も多く残っているんだ。その中の6点が国宝に指定されているんだよ。

どうして人気があったの？

森　如拙や宗継たちとは違って、雪舟は実際に中国に行って絵の勉強をしてきた画家なんだ。

今の岡山県で生まれた雪舟は京都の相国寺で、周文《しゅうぶん》という当時の水墨画界のトップの人について絵の修業をするんだけど、それだけでは飽きたらずに、水墨画の本場である中国に行くんだ。中国では各地をまわって絵の修業をしたようで、天童山景徳禅寺《てんどうさんけいとくぜんじ》では「四明天童山第一座」の称号を得、北京では政府の建物の壁画を書いて、大いに評判になったとも伝えられているよ。

国宝「天橋立図」　雪舟筆　室町時代（16世紀）　縦90.0cm　横178.2cm

えええ！　それって凄いことじゃない?!

森　当時、雪舟のように中国に勉強に行って、しかも中国である程度評価された人っていうのはほとんどいなかっただろうね。絵の上手さと、それに弟子がたくさんいたことも相まって、雪舟は伝説的な人気になるんだ。残っている作品も資料も多くて、日本の水墨画の歴史を考える上でとっても大事な人なんだよ。この「天橋立図《あまのはしだてず》」も雪舟が描いたものだよ。

とっても美しい景色だリン♪

森　水墨画には中国的な風景を描いたものは数多くあるけれど、この「天橋立図」は日本に実際にある景色を描いたものとして珍しいね。まず何より、すごく大きい。そしてすごく細かくリアルに、俯瞰《ふかん》的に描いているのも面白いね。

山の上から見ているのかな?　山に登って描くのは大変だっただろうなぁ……。

森　実際にはこのアングルから見える場所は無いんだよ。だから、いろんなところでスケッチをして、それを組み合わせて頭の中で画面を構成して描いたはず。それに、中国に行った時にたぶん見たであろう景勝地・西湖《せいこ》の景色なんかも参考にしたのかもしれないね。

雪舟さんはすごいひとだリン！

森　雪舟は「天橋立図」以外にも、「慧可断《えかだん》臂図《びず》」のように一見してインパクトのある作品を描いていて、改めてすごく面白い人だと思うよ。

狩野派が編み出した真行草

森　日本では、当初、水墨画は禅宗寺院などを中心に愛好されていたから、禅的な境地を描いたものが多かった。一流の教養人じゃないと楽しめない文化だったと言えるかもしれないね。でも応仁・文明の乱などによって戦国大名や新興商人などが台頭してくると、もっと違う水墨画の世界がひらけてくるようになるんだ。この新しい時代をリードしたのが狩野派だよ。

描かれるものが違うってこと？

森　狩野派は禅僧画家ではなくて、京都の街中にアトリエを持った職人集団。禅味のある水墨画も描いたけど、絵巻も華やかな大画面の金碧の絵も、肖像画も何でも描いた。そして巨大な工房で、全国の大仕事を受けおった。顧客も禅僧や教養人だけじゃなく、日本中の有力な武将たちが加わって、明快で分かりやすい雰囲気の絵が増えていくよ。

襖に描かれた水墨画を見たことがあるけど、迫力があって感動したリン♪　大きな松とか、猿や鳥が描かれていたような気がするリン☆

森　狩野派は、室町幕府の御用を務めた正信《まさのぶ》

真山水図《しんさんすいず》

に始まって、二代目の元信《もとのぶ》の時代に大成するんだ。元信の絵は、すっきりと洗練されていて、明るい。さらに元信はさっき出てきた「筆様」をベースに水墨画の描き方を真《しん》・行《ぎょう》・草《そう》の三種類に整理するんだ。書道の楷書《かいしょ》・行書・草書のようなものだね。「真」は夏珪や馬遠のように輪郭《りんかく》をしっかり取り、細かく描く。「行」は牧谿のように輪郭もふくめ少しふわっと描く。「草」は玉澗《ぎょっかん》のように墨の勢いを生かして描く。この「真山水図《しんさんすいず》」は「真」の筆法で描いた山水図だね。

そう言われると、かっちりと描いているように感じられるけど、真・行・草に分類することに意味があるの？

「真山水図」　狩野元信筆　室町時代（16世紀）　縦46.6cm　横95.8cm

琴高仙人図《きんこうせんにんず》

群仙図《ぐんせんず》

重文「琴高仙人・群仙図」3幅　雪村筆　室町時代（16世紀）
（中）縦121.5cm　横54.0cm　（左右）縦121.05cm　横56.0cm

森　描き方を決めることによって絵のイメージが共有できるようになる。そうして、作ったスタイルに従うことで、誰もがそれなりの絵を描けた。「狩野派に絵を描いて欲しい」という大量のニーズに応えるためにも必要だったのかもしれないね。

関東で花開いた個性

森　古来の文化の中心は京都で、狩野派ら、水墨画の最新の動きも京都で起こることが多いけれど、地方の文化も面白いよ。雪舟は今の山口県や北九州で活躍して独自の一派を作ったし、関東地方でも独自の水墨画が生み出されていくんだ。

独自の水墨画？

森　例えばこれは雪村《せっそん》という禅僧画家が描いた「琴高仙人図《きんこうせんにんず》」と「群仙図《ぐんせんず》」。

これまで見てきた絵と全く違うリン！　イラストみたいでかわいいリン♪

森　とても魅力的な絵だよね。鯉や仙人のデフォルメした描き方にはカリカチュアみたいな要素も感じられるし、風や水の動きを誇張して描いているところも楽しいね。

雪村たちが活躍した関東地方は、鎌倉時代は幕府が開かれたために栄え、禅もとても興隆したんだけれど、地域としては室町時代になると次第に鄙《ひな》びていった。でもその中で、関東の禅寺の水墨画文化はしっかり生きていて、関東の中で独自の価値観とスタイルをつくっていくんだ。

こんなに面白い絵があったなんてびっくりリン！　墨だけで描いているなんて信じられないね☆　他にもいろいろな水墨画を見てみたいリン☆　森研究員、ありがとリン♪

Q 水墨画にはどんな絵があるの？

水墨画の歴史は古く、中国・漢代には墨を用いて描いた絵が存在し、唐代には墨の濃淡で表現する絵が発達したとされます。さらに宋代には文人官僚の余技として人気となった水墨画は、文人達と親しく交流した禅僧達によって受け入れられ、禅の精神を体現する芸術ともなっていきます。

日本にも禅宗とともに多くの水墨画が伝わり、禅宗寺院を中心に描かれていきます。初期は祖《そ》師図《しず》（達磨《だるま》など古の禅者たちの絵）、道釈画《どうしゃくが》（道教や仏教の物語に関連する人物画全般）、四君子《しくんし》（蘭・竹・菊・梅）や花鳥などが描かれました。

重文「鍾秀斎図」　室町時代（16世紀）
祥啓筆　縦78.7cm　横27.6cm

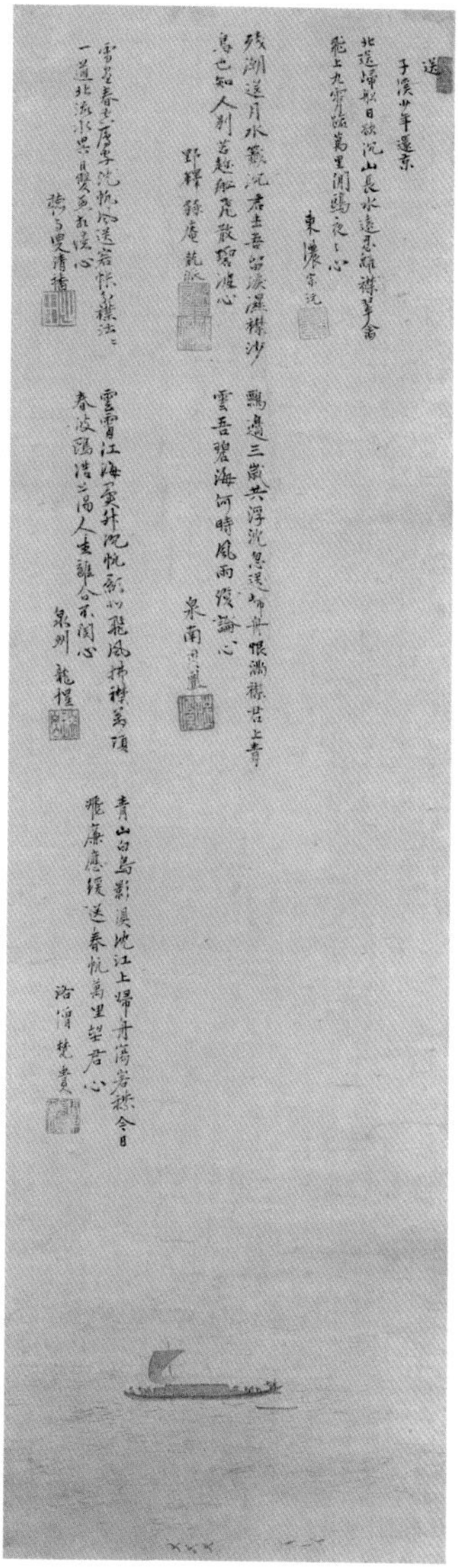

重文「舟行送別図」　室町時代（15世紀）
伝周文筆　縦100.9cm　横29.8cm

さらに、次第に山水画も多く描かれるようになり、京都五山で五山文学が最盛期を迎えた室町時代になると詩と画が一体となった「詩画軸」が好んで描かれます。

詩画軸の多くは、縦に長い軸の画面の下部分に絵を描き、上部分に絵（画題）に関連した詩を書いたもので、「書斎図《しょさいず》」や「送別図《そうべつず》」などがあります。

「書斎図」は、美しい山川に囲まれた人里離れた地に庵を結び、書斎で読書や詩作に耽《ふけ》る生活をしたいという禅僧たちの理想を反映して描かれたものです。山水と庵のある絵に、禅僧たちが寄せ書きのように詩を書き添えています。

対して「送別図」は、ある人物への贐《はなむけ》として知友たちが寄せ書きをしたものです。例えば出航する船などを描き、別れを惜しむ内容の漢詩が添えられた「舟行送別図」が代表です。この絵は舟の下部分の渚に群れる六羽のカモメが描かれています。このカモメは送別の詩を書いた六人を象徴し、詩とリンクしているのです。

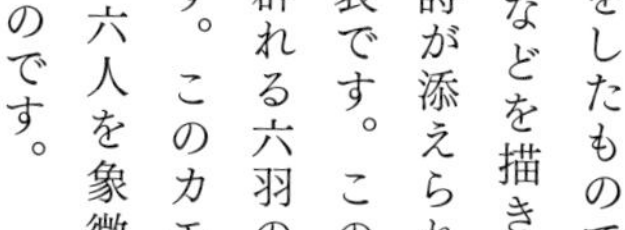

ほかにも見たい！
水墨画

重文「巌樹遊猿図屏風」（六曲一双のうち右隻部分）　室町時代（16世紀）
式部輝忠筆　縦149.0 cm　横338.0cm

巌樹遊猿図屏風《がんじゅゆうえんずびょうぶ》

式部《しきぶ》輝忠《てるただ》は16世紀に関東や東海地方で活躍した画家。本図は式部が描いた数少ない屏風の一つで、山深い水辺の景観とそこに遊ぶ猿たちが、南宋の画僧・牧谿を思わせる柔らかみのある筆遣いで描かれている。擬人化されたような猿の表情が愛らしい。

湖山小景図《こざんしょうけいず》

15世紀中後半を中心に活動した画僧・松谿《しょうけい》が描いた水墨画。松谿は、15世紀の日本水墨画の巨匠である相国寺の周文の弟子と考えられる人物。本図はその代表作。彼方《かなた》まで見渡せる絶妙の構図感覚と極めてデリケートな筆遣い、そして随所に引かれた金泥の霞《かすみ》が、絵を華やかで上品なものにしている。残念ながら、師・周文の確実な真筆はないが、弟子による本作が、15世紀の京都の水墨画の様子をありありと語ってくれる。

重文「湖山小景図」　室町時代（15世紀）
松谿筆　縦121.1 cm　横34.6 cm

四季花鳥図屏風《しきかちょうずびょうぶ》

文明15年（１４８３）、石見《いわみ》国（島根県）の益《ます》田《だ》兼堯《かねたか》の孫、宗兼の襲禄《しゅうろく》祝いに制作されたものと伝える。雪舟作とされる四季花鳥図屏風は数多く伝わるが、本作は唯一、真筆に近いものと目されている。まるで爬《は》虫類《ちゅうるい》を思わせるような松の奇怪な姿とアクの強い花鳥の描写によって画面には独特の重厚な雰囲気がもたらされている。

重文「四季花鳥図屏風」（六曲一双のうち右隻）　室町時代（15世紀）
伝雪舟筆　縦181.5cm　横375.2cm

2章

中国の画題の絵

中国への憧れ

森研究員のおかげで水墨画の面白さが少しわかったリン♪　むかしのひとの中国への憧れは強かったんだね！

福士研究員（以下 福士）　やあ、トラりん、久しぶりだね。トラりんが水墨画について勉強してたって森研究員から聞いたよ。

福士研究員、こんにちリン☆　うん！　水墨画を勉強して、中国に対する日本人の憧れの気持ちがとっても深いってことがわかったリン☆

福士　日本は中国から様々なことを学んでいるからね。憧れるのもわかるよ。でもね、水墨画以外にも、中国への憧れが感じられる絵画があるんだよ。

ホント？　確か福士研究員の専門は近世絵画だったよね☆　例えば、江戸時代にも中

聖賢図押絵貼屏風《せいけんずおしえばりびょうぶ》

「聖賢図押絵貼屏風」（部分）　狩野山雪筆　江戸時代（17世紀）　各図縦74.7cm　各横33.7 cm

国への憧れがあったの？

福士　もちろんだよ。特に、江戸時代には封建制度を支える思想として儒学《じゅがく》、なかでも朱《しゅ》子学《しがく》が重んじられたんだ。たとえば、帝鑑図《ていかんず》や聖賢図《せいけんず》のような絵画が盛んに描かれたのも、そうした社会的背景があったからなんだよ。

帝鑑図？聖賢図？初めて聞く言葉だリン！

福士　帝鑑図っていうのは、堯《ぎょう》や舜《しゅん》以来の中国皇帝の善政や悪政を題材として、為政者《いせいしゃ》の模範あるいは戒《いまし》めとして描かれたんだ。聖賢図は、中国の歴史上著名な聖人・賢人・名君などの人物やその行状《ぎょうじょう》を主題として、やはり為政者の鑑《かがみ》として描かれたものだよ。

つまり、素晴らしいお殿様になれ！ってことかな？

福士　そういうこと。このような絵を勧戒画《かんかいが》というんだけど、その中には庶民の農作業の様子を描いた耕作図《こうさくず》と呼ばれるものもあるよ。為政者が庶民・農民の労苦を知って我が身を戒め

四季耕作図屏風《しきこうさくずびょうぶ》

重文「四季耕作図屏風」(部分)　久隅守景筆　江戸時代(17世紀)　各縦158.0cm　横345.2cm

るという意味合いがあったんだね。単なるのどかな農村風景画というわけではないんだ。

苦労しながらお米を作ってくれるからみんなが美味しいご飯を食べられるんだリン☆感謝しないといけないリン♪

福士　皇帝が登場する画題では、中国唐時代の玄宗《げんそう》（明皇《めいこう》）とその寵姫《ちょうき》であった楊貴妃《ようきひ》を描いたものがあるね。例えば、唐の詩人白居《はっきょ》易《い》が玄宗と楊貴妃の愛情生活を綴《つづ》った「長恨《ちょうごん》歌《か》」という叙事詩に基づいて狩野山雪《かのうさんせつ》が描いた「明皇・貴妃図屏風」が代表的な例だよ。

美しく着飾ったひとたちが大勢描かれてい

明皇・貴妃図屏風《めいこう・きひずびょうぶ》

「明皇・貴妃図屏風」(部分)　狩野山雪筆　江戸時代(17世紀)　縦155.2cm　横361.4cm

るリン♪

福士　絶世の美女である楊貴妃に出会った玄宗は、政治を顧《かえり》みることなく楊貴妃にのめり込むんだ。その結果、安史《あんし》の乱という反乱が起こってしまう。この絵は楊貴妃が住まう華清宮《かせいきゅう》で二人が幸福の絶頂にあった時の情景を描いているんだ。豹皮《ひょうがわ》の敷物に座って横笛を持っているのが玄宗、玄宗の視線の先で舞っているのが楊貴妃だよ。

こんな皇帝になってはいけないよという絵なのかな?

福士　内容的には勧戒画《かんかいが》としての意味を含みそうなものだけれど、日本では愛情を主題とする古典文学として受容されたようで、ハレの場を飾る華やかな絵として描かれることが多いんだよ。中国への憧れや異国趣味がよくわかる作品だね。「長恨歌」に基づきながら、特に楊貴妃のポーズには古くからやまと絵で描かれているパターンを利用しているよ。

様々に描かれる中国の画題

福士　白居易の文集『白氏文集《はくしもんじゅう》』は、『枕草《まくらのそう》子《し》』や『源氏物語』など平安時代の文学にも大きな影響を与えたことが知られているよ。中国の詩を題材にした絵画は多く、白居易が生まれる前に活躍した杜甫《とほ》の詩をモチーフにした「飲中八仙図《いんちゅうはっせんず》」もポピュラーな画題だね。

森研究員が教えてくれた雪村《せっそん》の「琴高仙人《きんこうせんにん》図《ず》」みたいなものなのかな？

福士　飲中八仙というのは本当の仙人ではなく、唐時代の実在の人物たちなんだ。酒豪だった彼らを、杜甫《とほ》が仙人になぞらえた「飲中八仙歌」という詩をつくったんだよ。

こどもたちも混じっているみたいだけど、この八人がみんな酒豪だったの?!

福士　じつは、ここには八仙のうち四人しか描かれていないんだ。四人の子供はお付きの

飲中八仙図屏風《いんちゅうはっせんずびょうぶ》

重文「飲中八仙図屏風」　海北友松筆
慶長7年(1602)　縦148.0cm　長358.0cm

童子たちで、これは八仙には含まれないんだよ。本来は一双の屏風で、それぞれ四人の仙人が描かれていたんだね。

そうだったんだ！　酔っ払いに絡まれているようなこどももいるけど大丈夫かな☆

福士　八仙は、賀知章《がちしょう》・李璡《りしん》・李適之《りてきし》・崔宗《さいそう》之《し》・蘇晋《そしん》・李白《りはく》・張旭《ちょうきょく》・焦遂《しょうすい》という八人だけど、描かれている四人が誰なのかは判断が難しいね。お酒が強いだけじゃなくて、書や音楽に優れた人もいたみたいだよ。

みんな楽しそうだリン♪

「西王母献桃図」　狩野栄信筆　江戸時代（19世紀）　縦169.3cm　横297.5cm

西王母献桃図《せいおうぼけんとうず》

すごいひとの集まりだリン☆

福士　次は本物の仙人を見てみようか。西王《せいおう》母《ぼ》は中国で古くから信仰されている女性の仙人で、食べれば不老長寿を得られるという仙《せん》桃《とう》が実る桃園を管理しているんだ。狩野栄信《ながのぶ》が描いた「西王母献桃図《せいおうぼけんとうず》」では、長寿を願う前漢《ぜんかん》の武帝に、西王母がその仙桃を献上する場面を描いているよ。

椅子に座っている赤い服のひとが武帝で、鶴の左横にいる女のひとが西王母だね♪

福士　その通り。お付きの女性が持っている盆の上に載っているのが仙桃だよ。教養を備《そな》えた当時の人なら、説明がなくてもすぐに西王母を描いていることがわかったはずだよ。

中国の画題

中国文人に憧れた南画家たち

福士　その点でいうと、中国趣味というもの自体ひとつの教養といっていいだろうね。中国由来の画題はずっと古い時代から描かれているけど、江戸時代に特徴的なのは、その中国趣味がより広く町民層にまで浸透したこと。その大きな要因が、江戸時代に花開いた出版文化だよ。

出版って、本をつくること？

福士　そう。印刷技術を用いた商業出版が発達したおかげで、人々の中国趣味を満足させるような情報にもアクセスすることができるようになったんだ。

そっかぁ☆　むかしのひとはいまのように簡単に外国に行くことはできなかったけど、本を読むことで色々な知識を吸収していたんだね♪

福士　そういう中で、江戸時代の中期になって登場したのが南画家《なんがか》と呼ばれる人たちだよ。

南画家って…なぁに？

福士　なかなか難しい問題をはらむ言葉だけど、簡単に言うと、中国の知識人階級（文人《ぶんじん》）が余技《よぎ》的に制作した絵画のスタイルに憧れ、それを取り入れた日本の画家たちのことだよ。文人画家という呼称を用いる人もいるけど、ここでは南画家という呼び方にしておこう。

日本の知識人が絵を描いたからといって、必ずしもそれを南画と呼ぶわけではないんだね！

福士　トラりんは理解が早い（笑）。そうそう、日本の南画家たちの大きな特徴は、そのほとんどが基本的には職業画家で、本来の文人概念とは根本的に異なるところにあるんだ。そして、そのことは当の南画家たち自身もよくわかっていた。

そういったギャップはありながら、ともあれ彼らなりの中国文人画に対する理解と憧憬《しょうけい》とを原動力に、中国の明や清といった比較的新しい時代の絵画に学んだ、それまでにない様式が導入されたんだ。

芸術の新しい世界を切り開くパイオニア、とってもカッコいいリン！

福士　初期の南画家には祇《ぎ》園《おん》南《なん》海《かい》や彭城《さかき》百《ひゃく》川《せん》といった人たちがいるんだけど、彼らの仕事を継承し発展させて、その新しい芸術様式を日本に根付かせた立役者が、池《いけの》大《たい》雅《が》や与《よ》謝《さ》蕪《ぶ》村《そん》なんだ。大雅や蕪村は、よく「南画の大成者」と説明されるけど、これはそういう意味に理解したらいいと思うよ。

江戸時代になって生まれた、新しい中国趣味の世界だリン！

福士　大雅の代表作のひとつ、「洞《どう》庭《てい》赤《せき》壁《へき》図《ず》巻《かん》」を見てみよう。これは、中国で古来名勝として知られている洞庭湖と赤壁を一望のもとにおさめて描いたもの。洞庭湖は湖南省に

中国の画題

洞庭赤壁図巻《どうていせきへきずかん》

中国の名勝地、
洞庭湖と赤壁が
描かれているよ。

ある湖、赤壁は湖北省を流れる揚子江《ようすこう》北岸の地。ちなみに、『三国志』に出てくる赤壁とは別の場所だよ。

憧れの中国の景色を描いたんだね♪

福士　そう。でも、もちろん大雅は中国に行ったことはない。それなのにこうした絵を描くことができたのは、中国から輸入された本を参照したからなんだ。大雅は、『新鐫海《しんせんかい》内奇観《だいきかん》』という地誌書から地理的な情報を得ていたことがわかっているよ。

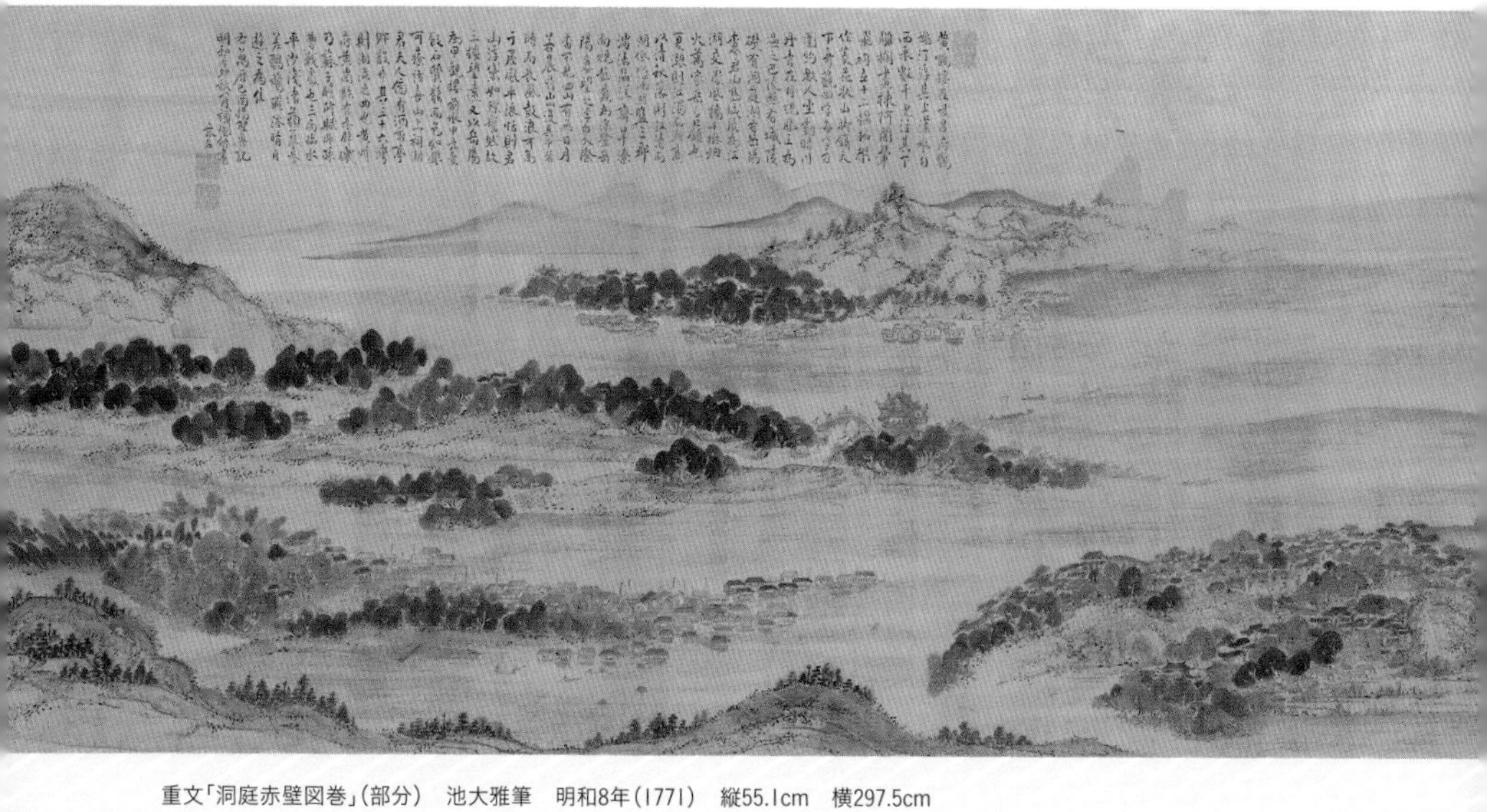

重文「洞庭赤壁図巻」（部分）　池大雅筆　明和8年（1771）　縦55.1cm　横297.5cm

日本の風景ならいつでも実際に見られるのに、どうして中国の風景を描いたのかなぁ？

福士　そういうところに南画家たちの中国趣味がよく表れているよね。ただし、大雅はたんに本の情報だけをもとにこの絵を描いたわけじゃない。洞庭湖や揚子江の表現には、大雅が何度も琵琶湖《びわこ》に足を運び、たゆたう水の様子を繰り返し観察した成果が生かされているんだ。中国由来の主題を、中国由来の描法で描くときに、そこに日本の自然という要素が介在《かいざい》するのが面白いね。

中国趣味の南画家たちは、中国の風景しか描かなかったの？

福士　そんなことはないんだよ。大雅も蕪村も日本の風景を描いていて、特に旅好きだった大雅は富士山をはじめ日本各地の風景を題材にしているんだ。ただ、その表現には南画の様式、つまり中国風が強く意識されているよ。

日本の風景を中国っぽく描くってこと？

福士　その通り。そういう表現の仕方を、「雅俗融和《がぞくゆうわ》」と呼んだりするよ。「雅」は中国、「俗」は日本ということだね。中国一辺倒ということではなく、憧れの中国と現実の日本とをいかに調和させて表現するか。南画家に限らず、十八世紀の文芸界でとても重視された表現意識なんだ。

お手本を真似するだけじゃないんだね！とっても面白いリン♪

福士　南画家ではないけれど、大雅と同時代に生きた伊藤若冲《いとうじゃくちゅう》の「乗興舟《じょうきょうしゅう》」（44頁）という作品は、タイトルや書体、色彩を排したモノクロームの表現、ところどころに記された漢詩など、どれも中国趣味を濃厚に漂わせているね。

ところが、ここに描かれているのは中国の風景ではなく、京から大坂へと向かう淀川《よどがわ》下りの様子なんだ。

淀川下り！　そう聞くとグッと親近感が湧いてくるリン☆

福士　そうだね。そういう身近な風景をそのまま描くのではなく、あくまでも中国文化の香りを濃厚に纏《まと》わせて表現する点に、この時代の中国趣味のありようが感じられるね。

広まる吉祥の画題

江戸時代の中国趣味については少しわかったけど、どうしてそんなに広まったのか不思議な気もするリン……。

福士　池大雅は姓を「池野」というんだけど、これを縮《ちぢ》めて「池」としたのは、中国で一般的な一文字姓にならったもの。儒学者の荻生《おぎゅう》徂徠《そらい》が、本姓の物部《もののべ》を縮めて「物徂徠」と自称したのも有名だね。ただ、当時とても流《は》行《や》ったことは確かだけど、こういうことを老若男女誰もがやったわけじゃない。にもかかわらず、中国趣味が庶民を含む広範な人々に浸透した要因のひとつには、中国由来の画題に多く見られる吉祥性も関係していると思うよ。

吉祥性って、おめでたいということ？

福士　そうそう。たとえば仙人。さっきは西王母という仙人を紹介したけど、仙人というのは人間界を離れて山中に住み、修行を通じて不老不死となって様々な法術をあやつるとされる人のこと。中国の伝統宗教である道《どう》教《きょう》では理想的人物として重んじられたんだ。仙人はそれぞれいろんな得意技があるけど、基本的にみんなとても長生き。だから、縁起《えんぎ》のいいおめでたい画題として歓迎されたんだ。長寿は、古今東西を問わず人間の素朴で切実な願いだからね。

中国通じゃなくても理解しやすい部分があるんだね☆

福士　そんな仙人をたくさん集めて描くの

群仙図屏風《ぐんせんずびょうぶ》

が群仙図《ぐんせんず》。ここでは、明治時代を中心に活躍した鈴木松年《すずきしょうねん》の「群仙図屏風」を見てみよう。見た目も個性的な仙人たちが一堂に会している様子は、実に壮観だね。

色鮮やかでとっても迫力があるリン！

福士　松年は「今蕭白《いましょうはく》」とも呼ばれた画家。つまり、江戸時代の個性派画家曾我《そが》蕭白の再来という意味だね。蕭白にも「群仙図屏風」（文化庁蔵）という有名な作品があるけど、それを彷彿《ほうふつ》とさせるような強烈な存在感だね。ここには、蝦蟇《がま》仙人・呂洞賓《りょどうひん》・鉄拐《てっかい》仙人・琴高《きんこう》仙人など九人の仙人が描かれているよ。西王母も、仙桃を持った姿で右隻左端に見えるね。

「群仙図屏風」　鈴木松年筆　明治36年（1903）　各縦175.7cm　横374.4cm

ほんとだ！　長生きの仙人がこれだけ集まると、あやかれそうな気がしてくるリン☆

ヨーロッパへの憧れ

福士　これまで中国への憧れから生まれた作品ばかり紹介してきたけれど、安土桃山時代を中心とした時期にはヨーロッパへの関心から生み出された絵画もあるんだ。その代表的なものが、「南蛮《なんばん》屏風」と呼ばれる作品だよ。

南蛮？

福士　桃山時代にキリスト教の宣教師たちが海を渡って日本へやって来たのは知っているよね。南蛮というのは、もともとは中国で南方の異民族を指す言葉だったんだけど、当時の日本では渡来してきたスペイン人やポルトガル人をこう呼んだんだ。

そうなんだ！　てっきりおいしい食べ物の

ことかと思ったリン！（じゅるリン☆）

福士　「南蛮屏風」にはこうした人々が日本に来航する様子が描かれているんだよ。黒い大きな船が異国の港を出航する場面や、日本に到着した船から乗組員が荷揚《にあ》げする場面、そしてカピタン・モールと呼ばれる司令長官の上陸場面などが定番。見慣れない風貌《ふうぼう》や服装をした南蛮人たちの姿がいかに当時の人々を惹《ひ》きつけたかは想像に難くないよね。

あ！　この「南蛮屏風」（50頁）には象が描かれているリン！

福士　そうそう、よく気付いたね。さすがはトラりん。この象は、スペイン使節が豊臣秀《とよとみひで》吉《よし》に献上した象だと考えられているよ。ドン・ペドロという名をもち、大坂城で秀吉に謁見《えっけん》したと伝えられているんだ。

秀吉さんと会った象がいたんだ！　作品にはいろんな物語があるんだね☆

福士　そういう物語を知ると、絵を見る楽しみがもっと増えるね。それと、海の向こうから異国の珍しい品々を運んでくる南蛮船には、富をもたらす宝船のようなイメージも重ねられていたみたいだよ。だから、キリスト教が禁止されてからも描かれ続けたんだね。

これまで何となく見ていた絵でも、中国生まれのテーマや、中国やヨーロッパへの憧れから生まれたものがあるなんて面白いリン♪　福士研究員、またいろいろ教えてね☆

Q1 江戸時代にも外国の文化を受容したの？

寛永16年（1639）、江戸幕府はポルトガル船の来航を禁止する命令を出します。これによって、幕府と直接貿易ができるのは中国（清）・オランダだけとなり、貿易港も長崎のみに制限されました。また、日本人の海外渡航も禁止されました。これが、現在鎖国《さこく》と呼ばれる政策です。

ただし、鎖国をしていたといっても、外来文化の受容をまったく拒絶していたわけではありません。「四つの口」と言われる長崎・対馬《つしま》・薩摩《さつま》・松前を通じて、それぞれ中国とオランダ・朝鮮・琉球《りゅうきゅう》・アイヌとの交易を行い、様々な文物が入ってきていました。

また、特に京都では寛文元年（1661）に黄檗宗《おうばくしゅう》の大本山萬福寺《まんぷくじ》が宇治に開創されたことも大きな出来事でした。初代の隠元隆琦《いんげんりゅうき》を

「西洋海浜風俗図屏風」　土井有隣筆　文化7年（1810）　縦151.2cm　横306.8cm

重文「漁楽図」　池大雅筆　江戸時代（18世紀）
縦149.5cm　横53.8cm

はじめとして歴代住持《じゅうじ》は多くを中国僧が占め、明時代末の建築様式ともども中国風が濃厚に漂《ただよ》う空間が誕生したのです。池大雅は幼少時に萬福寺で書を披露《ひろう》し、住持から「神童」と絶賛されていますが、中国文化に憧れる当時の人々にとって非常に重要な文化拠点であったといえるでしょう。

その後、享保16年（１７３１）には沈南蘋《しんなんぴん》という清の画家が長崎にやって来ます。南蘋の画風はまたたく間に上方《かみがた》、さらに江戸へと伝えられ、まさに大流行と呼ぶべき現象を生み出しました。一方、オランダ貿易等を通じて輸入された西洋の銅版画・油彩画も、一過性に終わった桃山時代の初期洋風画とは異なり新たな表現手法として取り入れられ、幅広い画家たちに影響を与えたのです。

Q2 「唐画」って何？

画壇のアカデミズムを形成していた狩野派が、室町時代の流派誕生以来、宋元時代の中国絵画を重要な規範としていたのに対し、池大雅や与謝蕪村といった南画家たちは、主に明や清といった比較的新しい時代の中国絵画に学び、その様式を取り入れることで従来にない絵画表現を日本に定着させました。

一方、長崎に来航した清の画家沈南蘋の画風は、その弟子熊斐《ゆうひ》を介して日本の画家たちに伝えられ、一世を風靡《ふうび》しました。たとえば、伊藤若冲の濃密な花鳥画も、そうした南蘋画風から大きな影響を受けていますし、与謝蕪村の「野馬図屏風」などは、現存する南蘋作品をかなり直接的に取り入れていることがわかります。中国趣味の盛んなりし時代に、中国から生身の画家がやってきたということがいかに衝撃的な出来事であったか、残された作品が雄弁に物語っています。

「乗興舟」（部分）　伊藤若冲画　明和4年（1767）　縦28.7cm　長1151.8cm

このような、明や清時代の絵画にならった絵は、当時「唐画《からえ》」と呼ばれました。唐画には、南画や濃彩の花鳥画だけでなく、曾我蕭白のアクの強い絵、円山応挙《まるやまおうきょ》とその一門の絵、黄檗宗関係の黄檗絵画、さらには秋田蘭画《あきたらんが》、西洋画法を取り入れた司馬江漢《しばこうかん》の絵なども含まれていました。外来文化の影響のもとに生み出された、新しい様式の絵画を広く包含《ほうがん》する言葉として、唐画という言葉が用いられたのです。

このようにして見ると、江戸時代の多様性に富んだ画壇の活況を支えた画家たちの多くが、唐画師の範疇《はんちゅう》に含まれることがわかります。その意味では、異国趣味とそれに動機づけられた外来文化の受容こそが、豊かな近世絵画の世界を生み出したと言えるでしょう。

「野馬図屏風」(左隻)　与謝蕪村筆　宝暦13年(1763)　縦167.0cm　横366.0cm

ほかにも見たい！

中国の画題

蓮池水禽図《れんちすいきんず》

蓮池を泳ぐ二羽のカイツブリを描いている。蓮の葉はほとんど輪郭線を用いず墨面の広がりによってあらわすという大胆な表現でありながら、墨のにじみが微妙な諧調《かいちょう》を生み出し、それが豊かな表情となっている。俵屋《たわらや》宗達《そうたつ》（生没年不詳）が数多く描いた水墨画の中でも、最も優れた出来映えを示す作品として知られる。

蓮は、中国においては夫婦和合や子孫繁栄などを象徴し、水鳥は豊かさなどを寓意する。こうしたことから、中国では絵画のみならず工芸品の意匠としても蓮と水鳥を組み合わせる例はおびただしく、宗達もそうした作例を参照したのだろう。

国宝「蓮池水禽図」　俵屋宗達筆
江戸時代（17世紀）　縦119.0cm　横48.3cm

重文「太公望図屏風」　尾形光琳筆　江戸時代（18世紀）　縦166.6 cm　横180.2cm

太公望図屏風《たいこうぼうずびょうぶ》

太公望こと呂尚《りょしょう》は、渭水《いすい》（黄河の支流）に釣り糸を垂《た》れて世を避けていたところを、中国周王朝を創建した文王《ぶんおう》に見出された政治家。文王の祖父太公が待ち望んでいた賢人という意味で太公望と呼ばれた。

足を組んで頬杖《ほおづえ》をつくその表情は穏やかそのもので、いかにも身近にいそうな好々爺《こうこうや》といった趣である。当時はまだ稀覯本《きこうぼん》であった、『仙仏奇《せんぶつき》踪《そう》』という中国の版本を参考にしたことがわかっている。

重文「仙人高士図屏風」　狩野永徳筆　桃山時代（16世紀）　縦155.0 cm　横361.4 cm

仙人高士図屏風《せんにんこうしずびょうぶ》

もとは襖絵として制作されたもので、画面には引手《ひきて》跡などの痕跡《こんせき》が残る。右隻第四扇、杖を持って松の木に腰掛けているのは鉄拐、大きな瓢箪《ひょうたん》を担いでいるのは呂洞賓《りょどうひん》という仙人である。人物はみな右上の方向に目をやっており、かつては空を飛ぶ仙人を描いた場面が右側に繋がっていたと考えられる。一方、左隻で川を挟《はさ》んで対峙する人物については分明でないが、釣りをする人物を太公望とする説もある。

やや粗さもあるが、スピード感ある鋭い筆線による描写が見事で、永徳の晩年に近い頃の作品と考えられる。

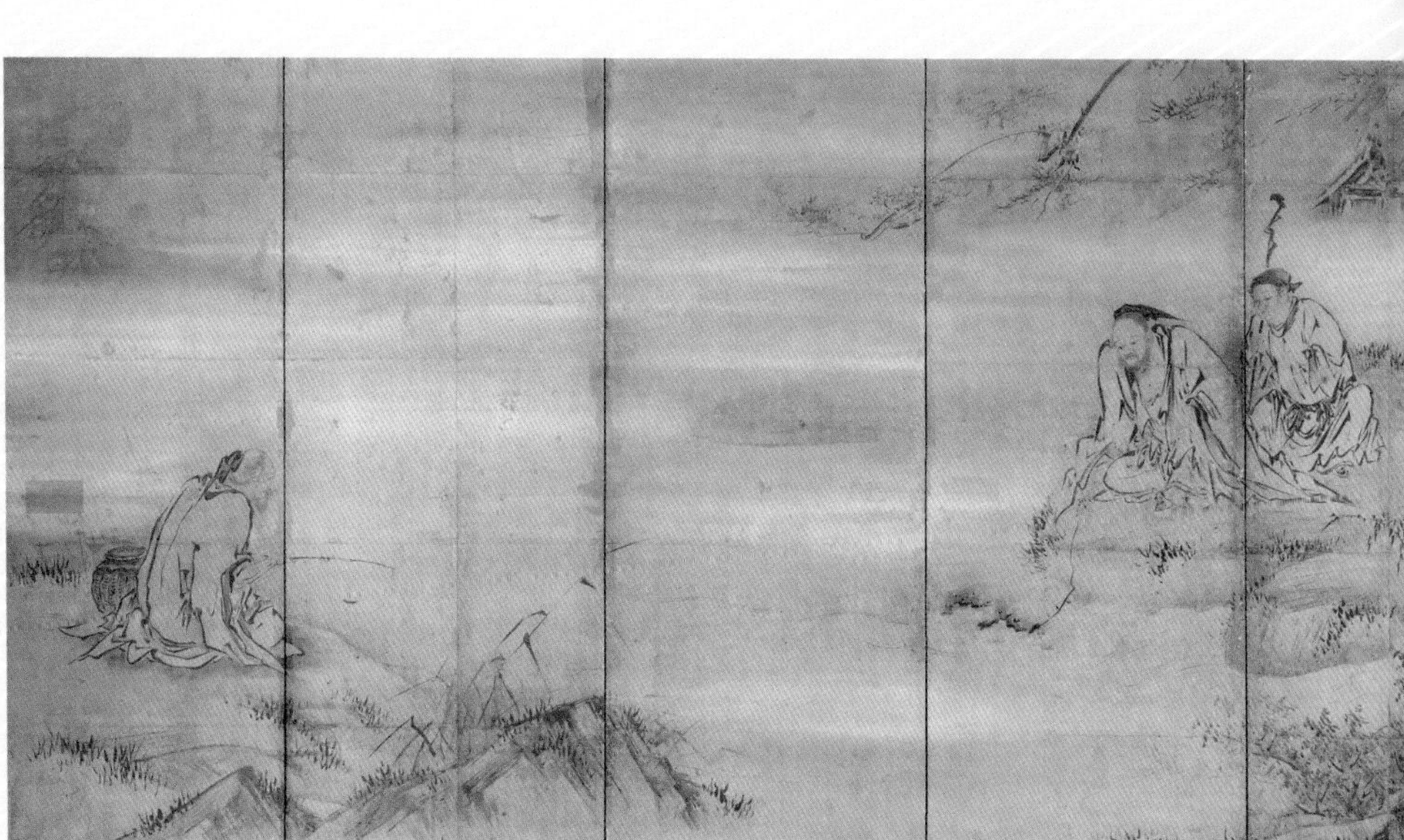

「南蛮屏風」　江戸時代（17世紀）　縦152.2cm　横359.6cm

南蛮屏風《なんばんびょうぶ》

南蛮屏風とは、当時南蛮人と呼ばれたスペイン人やポルトガル人が日本の港に来航し、貿易品を荷揚げする様子などを描いた屏風絵のことをいう。十六世紀末以降、当時の異国趣味を反映して多くの作品がつくられた。海の向こうから富をもたらす南蛮船は招福の吉祥画題と見なされ、特に廻船問屋や商家に多く伝来した。

本図には、いままさに日本に向けて出航して行く南蛮船が描かれている。現在は一隻しか残っていないが、もとは日本の港に到着した南蛮船を描く右隻があったのだろう。貴人を乗せる象は、慶長2年（1597）にスペイン使節が豊臣秀吉に献上した象がモデルになっているようだ。鎖国によってこの主題が衰退しつつあった、十七世紀半ば頃の制作と考えられる。

3章

陶磁器

中国と同じように荘厳したい

中国の逸話や、仙人たちが描かれた絵がたくさん見られて面白かったリン！　日本人はずーっとむかしから中国のいろんなものを学んできたんだリン♪　だからとっても憧れがあったんだね！

降矢研究員（以下　降矢）　やあトラりん、いつも通り元気だね。感心、感心。

降矢研究員、こんにちリン☆　3巻ではやきもののデザインについて教えてくれてありがとリン♪　あれから、やきものに興味が湧いてきて、ボクもほしくなっちゃった！

降矢　それは良かった。僕で良ければ何でも教えてあげるよ。

いま、森研究員や福士研究員に、中国から伝わってきた水墨画や、中国のお話を描いた絵について教えてもらっていたところな

んだ♪

降矢　日本は中国からたくさんのことを学んできたからね。僕が専門にしている陶磁器も中国から伝わった技術やデザインが多いよ。

そうだったの?!　そういえば、3巻で見せてもらった尾形乾山《おがたけんざん》さんの四角いお皿（第3巻65頁）には中国のひとが描かれていたような……。

降矢　寒山《かんざん》と拾得《じゅっとく》だね。中国の唐時代に仙人のような生活を送った僧だね。あのお皿のように中国由来の絵が描かれたものも江戸時代にはたくさん作られているよ。

でも、飛鳥《あすか》時代や奈良時代頃には中国の陶磁器を模したものが作られ始めたようだね。

そんなにむかしから?!

降矢　縄文土器《じょうもんどき》は火焔《かえん》型土器とか遮光器土偶《しゃこうきどぐう》のような独自性のあるものが有名で、東北や中部地方などで出土しているけれど、関西や九州地方などでは朝鮮半島や中国などの影響を受けたものが出土している。それは西日本には渡来人《とらいじん》が大勢住んでいたからかもしれないけどね。

朝鮮や中国から来たひとたちの好みが反映されたってこと?

降矢　飛鳥や奈良に都が作られるようになると、その見本となった中国の都で使われていたものが権威付けという意味もあって必要になってくるんだ。でも、現在と違って飛行機があるわけでもないから簡単に中国から取り寄せることもできない。じゃあ、どうする?

日本で作る……?

降矢　その通り。中国から伝わった貴重なオリジナル品を模倣して六古窯《ろっこよう》などの各地の窯場《かまば》で作らせたんだ。例えば梅瓶《めいぴん》という肩が張って胴がすぼまる頸《くび》が長い瓶《びん》などだね。模倣したものとしては京博にも「古瀬戸《こせと》灰釉水注《かいゆうすいちゅう》」などがあるよ。

緑色っぽい筋のような文様が入っているけど、

古瀬戸灰釉水注《こせとかいゆうすいちゅう》

「古瀬戸灰釉水注」　鎌倉時代（13〜14世紀）
高19.4cm　胴径15.0cm　底径8.2cm

中国で作られたものもこんな感じだったの？

降矢　おおよそ同じ形のものだよ。中国のものにもいろいろあるけれど、この作品の見本となったものは白磁《はくじ》や青磁《せいじ》といった磁器だよ。でも、当時の日本には磁器を作る技術や材料となる陶石《とうせき》が採れなくって17世紀に佐賀県の有田《ありた》で白磁鉱が発見されるまで磁器を焼くことができなかった。そのため灰釉や褐釉を施した陶器で代用したものが盛んに作られることになったんだ。

せめて姿形だけでも中国のものに似せようと思ったんだね☆

京焼での中国模倣のはじまり

降矢　六古窯だけじゃなく京都でも中国陶磁器を模した作品が作られているよ。この「三彩蓮池水禽文皿《さんさいれんちすいきんもんさら》」は中国の南方で焼かれた華南《かなん》三彩（交趾《こうち》三彩）を見本としたもの。

緑色がきれいだリン☆　それと蓮池水禽も中国の画題の一つだリン♪

降矢　華南三彩は緑色を基調として黄と紫の釉薬で彩られていて、見た目も鮮やかだね。野々村仁清《ののむらにんせい》が御室《おむろ》に窯を開くよりも前に作られたかもしれない、京焼の初期の作品なんだ。

野々村仁清さんは、きれいな公家好みの作品を作ったひとだって教えてもらったリン☆

降矢　覚えていてくれて嬉しいよ(笑)。仁清っていうと金や銀、緑、紫、黄、赤などの色鮮やかな色絵具を用いた作品の印象が強いけれど中国製の茶入《ちゃいれ》を数多く写してもいるんだ。

三彩蓮池水禽文皿《さんさいれんちすいきんもんさら》

「三彩蓮池水禽文皿」　桃山〜江戸時代（17世紀）
高2.9〜3.3cm　口径16.1〜16.7cm　高台径8.6〜9.2cm

茶入っていうと茶道で使う抹茶を入れておく小さい壺のことだね☆　茶色の印象だけど……。

降矢　中国製の唐物《からもの》茶入は、織田信長《おだのぶなが》や豊《とよ》臣秀吉《とみひでよし》といった権力者もなかなか手に入れられなかったものだったんだよ。数が限られていて希少な唐物茶入は、室町時代から江戸時代にかけて愛知県の瀬戸で盛んに写しが作られたんだ。仁清は瀬戸で修業したともいわれているけれど、仁清が作る茶入は、瀬戸焼のものよりもとても薄造りで厚みや質感などの細部にもこだわったところが評価されているよ。

出来る限り中国の茶入に近いものが求められていたってことかな？

降矢　たぶんそうだね。金森宗和《かなもりそうわ》という人物を介して公家衆や寺院、茶人たちの注文に応じていたから、「これを写して」という依頼もたくさんあったのかもしれないね。

例えば、『松屋会記』には「宗和切形トテ、トウ四方也」という一文があるけど、これは宗和が作った見本に基づいて胴が四角い茶入が作られたことを示していると考えられているんだ。実際に仁清が作った「褐釉撫四方茶入」という胴が四角い茶入も伝わっているよ。

茶入をオーダーして作ってたっていうことだね！　そのなかで見本を見せたりもしてたんだ☆

降矢　華南三彩を写した「三彩蓮池水禽文皿」にしても、仁清の茶入にしても、京都を中心とした人々の、唐物つまり中国のものに対する需要があったということだと思うよ。

この時代もなかなか手に入らなかったってことだね！

降矢　平安時代のような時代に比べれば入手しやすかったとは思うけれど、それでも潤沢にあったわけじゃないし、高価だったんだね。それと、既に中国では作られていないものなんかは新しく作るしかなかったんだ。

煎茶趣味の流行

降矢　中国の陶磁器を写していくという流れは、これ以降の京焼で引き継がれていって、多くの陶工たちによって多種多彩なものが作られていくよ。例えば尾形乾山《おがたけんざん》もその一人。

乾山さんの「色絵《いろえ》氷裂文角皿《ひょうれつもんかくざら》」（第3巻62頁）も中国の青花《せいか》磁器を参考にしたって聞いたリン☆

降矢　乾山は他にも寒山拾得《かんざんじゅっとく》や絵や漢詩が描かれた角皿なども作っているけれど、これは彼が影響を受けた文人《ぶんじん》思想によるもの。

文人たちが描いた文人画については福士研究員にも教えてもらったリン♪　確か江戸時代に流行したんだよね☆

降矢　その通り。絵画の分野では文人画が流行するように、陶磁器の世界でも文人趣味に影響を受けたものが作られていくよ。青木木《あおきもく》

染付名花十友図三段重箱《そめつけめいかじゅうゆうずさんだんじゅうばこ》

「染付名花十友図三段重箱」　青木木米作　江戸時代（19世紀）
総高21.7cm　縦16.9cm　横16.8cm

米《べい》もその一人で、「染付《そめつけ》名花《めいか》十友《じゅうゆう》図《ず》三段《さんだん》重《じゅう》箱《ばこ》」からも文人趣味が感じられるね。

重箱にいろんな花が描かれているリン♪

降矢　表面には菊や梅、芍薬《しゃくやく》などの10種類の花が描かれ、それぞれの脇に「韻友《いんゆう》」「雅友《がゆう》」「殊友《しゅゆう》」「浄友《じょうゆう》」「僊友《せんゆう》」「名友《めいゆう》」「佳友《かゆう》」「艶《えん》友《ゆう》」「清友《せいゆう》」「禅友《ぜんゆう》」の文字が添えられているね。これは中国の宋時代の曾瑞伯が10種類の花を10人の友になぞらえた故事に因んだもので、いかにも文人好みの図柄だね。

木米は名だたる文人と交友して、文人趣味や中国趣味、煎茶《せんちゃ》趣味の作品を数多く作っているよ。

煎茶ってお茶のことだよね？

降矢　玉露《ぎょくろ》などの茶葉を急須《きゅうす》で淹《い》れたお茶のことだね。黄檗宗《おうばくしゅう》を開いた萬福寺《まんぷくじ》の隠元《いんげん》禅師が伝えたそうだよ。18世紀当時は最新の中国文化で、煎茶を飲みながら清談《せいだん》（趣味や芸術、学問などの高尚な話）を交わすことが文人たちの間で流行したんだ。急須や涼炉《りょうろ》、茗《めい》碗《わん》などの道具が必要で、木米も「交趾釉荒磯《こうちゆうあらいそ》文急須《もんきゅうす》」などを手掛けているよ。

煎茶が中国趣味だから、煎茶で使う道具も中国的な絵や漢詩が描かれているんだリン☆

降矢　そうだね。中国的な雰囲気が詰め込まれた道具を使って煎茶を喫し、中国の文人に想いを馳せて清談を愉しんだんだろうね。

煎茶趣味が流行したからか木米以外にも清水《きよみず》六兵衛《ろくべえ》や仁阿弥道八《にんあみどうはち》、尾形周平《おがたしゅうへい》といった同時代の陶工たちは煎茶の道具を作っているんだよ。

中国への憧れが感じられるリン♪

京焼に磁器をもたらした奥田頴川

降矢　青木木米や仁阿弥道八といった陶工たちに影響を与えたのが奥田頴川《おくだえいせん》という人。この頴川は、中国から日本に移り住んだ人の子孫だと言われていてね、その影響からか中国趣味の陶磁器を数多く作っているんだ。

全くわからないリン……。はじめて聞いた名前だし、想像もできないいい！

降矢　答えはね、頴川の登場によって京焼でも磁器が焼かれるようになったってこと。

どういうこと？　頴川さんより前に活躍した仁清さんや乾山さんたちは磁器を作っていなかったってこと？

降矢　日本でも江戸時代の初め頃には九州の有田で作られ始めていたんだけど、技術的に難しくて、京都ではなかなかうまく作れなかったんだね。

それまでも磁器を目指したやきものは焼かれていたよ。仁清も乾山も中国の磁器を意識していたと推測されるものを作っているしね。

仁清さんも?!

降矢　中国の茶入と同じように注文があったのかもしれないね。でも、材料などの違いもあって、なかなかうまく作れなかった。

でも、それ以前よりも、ずーっと中国のやきものに近いものが作れるようになったんだね☆

降矢　頴川が得意としたのは赤絵《あかえ》で、染付《そめつけ》や交趾《こうち》などもよく作っているね。「赤絵《あかえ》十二支《じゅうにし》四神鏡文皿《ししんかがみもんさら》」もその一つで、円形の皿の内面を古い鏡の裏面に見立てているよ。

たくさんの動物が描かれているリン♪

降矢　皿の内面に描かれているのは四神といって、東西南北の四方を守る霊獣だよ。上に描かれた、蛇が絡まった足の長い亀は北を守る玄武《げんぶ》。右側の龍は東を守る青龍《せいりゅう》。下の鳥は南を守る朱雀《すざく》。左側の四本足の動物は白虎《びゃっこ》だね。

白虎！　ボクと同じトラだリン！

降矢　トラりんも京博を守ってくれているんだよね。

皿の外周には上から時計回りに十二支が順番に描かれているよ。中国の随や唐時代などの古鏡を模して作ったものだよね。

鏡を参考にして、こんなに綺麗なお皿を作ったんだね☆

降矢　頴川はこのほかにも古代中国の青銅器を模した交趾釉兕觥形香炉《こうちゆうじこうがたこうろ》なんかも作っているよ。

兕觥ってなぁに？　はじめて聞いたリン！

降矢　兕觥っていうのはね、蓋と把手《はしゅ》がついたお酒を注ぐための器のことだよ。虎や羊といった動物を模っていて、中国の殷《いん》時代に多

重美
「赤絵十二支四神鏡文皿」
奥田頴川作
江戸時代（18〜19世紀）
高2.8cm　口径17.6cm
高台径9.0cm
大統院蔵

赤絵十二支四神鏡文皿《あかえじゅうにしししんかがみもんさら》

く作られたようだね。

中国の絵だけじゃなくて、形も中国のものを写しているんだね☆

アレンジを加えながら模倣する

降矢　ここまでは煎茶趣味の影響で作られたものを紹介してきたけれど、茶の湯つまり抹茶を飲むための器にも中国モチーフのものがたくさんあるよ。

仁清さんが作った茶入のようなもの？

降矢　茶入以外にも茶の湯ではたくさんの道具を使うんだけど、例えば茶碗や水指《みずさし》（水を入れる器）、香合《こうごう》（香を入れる器）などが多いかな。染付や赤絵、交趾といった技法を使ってデザインを少しアレンジしたものなどいろいろあるね。

仁清さんや乾山さん、潁川さんや木米さんたちが作ったの？

降矢　京焼の陶工たちのほとんどが作っているといっても良いかな。というのも、彼らは注文に応じて様々なものを作るからね。中国のものはもちろん東南アジアで作られたものなども本物と遜色《そんしょく》のないレベルのものを作っているんだ。その代表的な工人が、江戸時代後期の京焼を代表する名工と評された仁阿弥道八や永楽保全《えいらくほうぜん》たちだね。特に永楽家は豪商の三井家や茶道の三千家《さんせんけ》（表千家《おもてせんけ》・裏千家《うらせんけ》・武者小路千家《むしゃのこうじせんけ》）の注文をうけて、この「交趾荒磯文水指」のような茶道具を数多く焼いているよ。

きれいな緑色の中に赤い魚が泳いでいるリン♪

降矢　ひげがあるこの魚は鯉だね。この荒磯文様は中国では「龍門鯉魚《りゅうもんりぎょ》」と呼ばれていてね、「登竜門《とうりゅうもん》」という伝説から生まれた吉《きっ》祥文《しょうもん》だよ。木米も急須の意匠に取り入れているし、きものの帯の文様にも見られるからとても人気だったみたいだね。

第3巻でも言ったけど、江戸時代には絵画や陶磁器、きもの、漆芸品などさまざまなものが影響しあってデザインが生み出されたし、

交趾荒磯文水指《こうちあらいそもんみずさし》

「交趾荒磯文水指」　永樂保全作
江戸時代（19世紀）
高15.5cm　口径15.7×16.3cm　底径12.9×13.0cm

職人たちはトレンドを取り入れながら需要に応えていったんだ。中国をはじめとする海外の陶磁器の模倣もその一つで、単にコピーするだけじゃなくて、少しずつアレンジを加えながら作品が作られていったんだよ。

陶磁器だけじゃなくて、きものの帯にも中国の絵が取り入れられているなんて素敵だリン☆　憧れの中国製の本物は難しくても、それに近いものを手に入れたいっていう気持ちはわかる気がするなぁ♪　とっても勉強になったリン！　降矢研究員、ありがとリン♪

Q 中国のほかの国の陶磁器も模倣したの?

染付や赤絵、交趾のような中国の陶磁器は古くから模倣され、日本各地の陶工たちによって写し物が作られてきました。

一方、中国以外の海外の陶磁器も茶人をはじめとする町衆の注文によって作られました。その中心が京都で、京焼の陶工たちは存分に技術力を発揮して本物と見紛う作品を手がけました。

例えば、日本のお隣の朝鮮とはとても古い時代から交流があったため、高麗《こうらい》青磁・白磁を見本としたものが作られました。茶の湯が盛んになると井戸や三島、粉引《こひき》などの高麗茶碗の写しが萩《はぎ》や唐津《からつ》といった西日本各地の窯場で焼かれました。

この他にも、ベトナムの安南《あんなん》焼や東南アジア産の南蛮芋頭《なんばんいもがしら》水指を写したものが茶

「南蛮写芋頭水指」　江戸時代(19世紀)　仁阿弥道八作
総高18.4cm　口径10.6cm　胴径19.1cm　底径7.7cm

人たちの間で人気を集めましたし、江戸時代後期にはオランダ趣味の流行に伴ってヨーロッパ陶磁（阿蘭陀《おらんだ》焼）を模したものも作られました。

「宋胡録写銹絵茶碗」　江戸時代（19世紀）　永樂保全作
高6.9cm　口径13.5cm　高台径6.0cm

「安南染付写花蝶文急須」
江戸時代（19世紀）　永樂保全作
高14.1cm　口径6.5cm　胴径12.9cm
底径7.0cm　長16.5cm　幅14.8cm

「阿蘭陀染付写船人物図四方蓋物」
江戸～明治時代（19世紀）
三代清水六兵衛作
総高8.7 cm　縦17.8 cm　横17.7 cm
高台径12.6×12.6 cm

「三彩兕觥形香炉」 伝奥田潁川作　江戸時代(18〜19世紀)
高28.6 cm　長28.5 cm　両足院蔵

交趾釉兕觥形香炉《こうちゆうじこうがたこうろ》

古代中国の青銅器・兕觥の形を写したもの。把手や突起などが省略されたり、凸帯の代わりに龍が貼り付けられることで異なった印象を与える。器のほぼ全面が花鳥文で覆い尽くされているため、青銅器の印象は薄れているが奥田潁川の代表作の一つに数えられる大作。

交趾釉荒磯文急須《こうちゆうあらいそもんきゅうす》

青木木米が得意とした型作りの急須。蓋のつまみや身の把手、注ぎ口などを別作りして合体させている。胴には荒磯文様が描かれている。

「交趾釉荒磯文急須」　青木木米作　江戸時代(19世紀)
高8.4cm　口径5.2cm　胴径9.5cm
底径5.2cm　長12.6cm　幅10.8cm

交趾釉七香文《こうちゆうしちこうもん》茗碗《めいわん》

茗碗とは煎茶を飲む際に用いる碗。本碗は煎茶家として著名な田中鶴翁（1782～1833）の旧蔵品と推定されるもの。木米が好んで用いた型作りの方法で成形され、器面には交趾で七種の花が描かれている。

「交趾釉七香文茗碗」　青木木米作　江戸時代(19世紀)　高6.1cm　口径7.5cm　高台径3.9cm

三島写平鉢《みしまうつしひらはち》

日本で「三島」と呼ばれる朝鮮陶磁の粉青沙器《ふんせいさき》を模した鉢。朝鮮陶磁に特徴的な重ね焼の痕跡《こんせき》である目跡《めあと》も五つ見込みに認められるなど細部にもこだわるなど遠目には粉青沙器そのものにしか見えない出来を示す。

「三島写平鉢」　江戸時代（19世紀）
仁阿弥道八作　高6.6cm　口径16.6cm　高台径5.9cm

染付雲堂手茶碗《そめつけうんどうでちゃわん》

雲と楼閣《ろうかく》の文様から「雲堂手」と呼ばれる中国の染付磁器を模したもの。本歌とされた中国製のものは、香炉など、本来は喫茶用の茶碗ではない見立ての茶道具のため、高台は低くて径が大きい。この茶碗では茶の湯にふさわしい碗とするため高くて径の小さな高台にしている。

「染付雲堂手茶碗」　江戸時代（19世紀）
永樂保全作
高6.9cm　口径11.4cm　高台径6.1cm

「赤絵写鳳凰文鉢」　江戸時代（19世紀）　永樂保全作
高7.4cm　口径17.8cm　高台径6.8cm

赤絵写鳳凰文鉢《あかえうつしほうおうもんはち》

中国・明時代の色絵磁器を写したものと永樂保全が箱に書き付けているが、同じ明時代の嘉靖〜万暦年間（1522〜1620）頃に流行した色絵磁器を本歌としていると考えられる。

赤絵写獅子鈕菱香炉《あかえうつしししちゅうひしこうろ》

蓋上には玉取獅子を模した鈕《つまみ》がついた香炉。花菱形の窓や石畳風の斜格《ななめこう》子《し》文様など、赤絵金襴手の特徴を写している。

「赤絵写獅子鈕菱香炉」　三代水越与三兵衛作
江戸時代　安政2年（1855）
総高11.8cm　口径9.0×11.8cm　高台径5.0×7.6cm

4章 南蛮漆器の発展

海外でも人気を博した日本の漆器

降矢研究員のお話もおもしろかったリン♪　中国大陸から持ち込まれた文化といえば、漆に詳しい永島研究員！　今日もよろしくリン！

永島　まかせて、トラりん！　もうすっかりこの本の常連となってしまったけれど、今回も新しいことをお話しするよ。

楽しみだリン♪　何を教えてくれるの？

永島　もうすでに絵画や陶磁器など、さまざまな分野で外国の影響を受けていることは学んだね。それは漆器についても同じなの。

やっぱり中国から持ち込まれたものが多いの？

永島　もちろん、それも多いけれど、今回紹介する「南蛮漆器」は、日本でつくられていたもので、海外の文化、中でもポルトガル文化の要素が加わった漆器、という感じかな。

それはいつ頃のこと？　どうしてポルトガルなの？

永島　桃山時代だよ。日本はポルトガルやスペインなどのヨーロッパの国の人たちと交易関係（南蛮貿易）にあったの。キリスト教が普及されたり、いろいろな製品・文化が日本に持ち込まれるようになったんだ。

2章で福士研究員が紹介してくれた「南蛮屏風」って、南蛮貿易のようすを描いてい

るものなんだ?!

永島　そうだよ。3巻の「蒔絵」でも話したように、同じ頃、日本では豊臣秀吉などの武将たちが自分の権力を示すために「高台寺蒔絵」に代表される斬新で華やかな装飾の蒔絵を注文するようになっていたわけだけど。画像は秀吉の部下が自分の家紋入りで注文した食器だよ。

わざわざ注文して作るのに海外の要素が入るってことは、日本人が海外のものを見て、

南蛮漆器

桔梗《ききょう》折墨《おれずみ》桐《きり》紋《もん》蒔絵《まきえ》飯器《はんき》

「桔梗折墨桐紋蒔絵飯器」
桃山時代（16世紀末）　高19.7cm　径21.2cm

「これを蒔絵に取り入れて！」って言ったのかな？

永島　さすが、鋭《するど》い指摘《してき》だね。でも、それなら自分たちが良いと思っていた高台寺蒔絵も輸出しそうだけどされていないんだよね。つまり、「海外の人が日本の蒔絵を見て自分たちの希望にあうデザインを注文した」と考えられるね。

なるほど！　蒔絵はすごくきれいだから、海外のひともほしかったのかなあ？

永島　王様へのプレゼントになったこともあるんだよ。ヨーロッパには〝漆〟というものがなかったから、見たことがない製品に驚いただろうね。特に日本製の漆は質が良いことで人気だったみたい。お湯やお酒を入れても漆が溶《と》けないし、金も剥《は》がれないというその実用性の高さにも感激されたと言われているよ。

そうだよね、ボクも蒔絵の説明を聞いたときはすごく驚いたリン☆　それで、ヨーロッパでも人気が出て注文が増えていったの？

永島　そう。日本に来ていた西洋人はキリスト教の宣教師と、商人だったんだけど、宣教師も布教を続けるには活動資金を稼がないといけなかったの。

そこで、双方ともヨーロッパにはない珍しくて美しい漆製品に目をつけた。自分の国に持ってかえればとても喜ばれて、どんどん注文が増えて、利益になるというわけ。

へぇ〜☆　日本に異国の文化が入ってくるばかりではなくて、逆に輸出もしていたんだね！

永島　そうしてヨーロッパに渡った南蛮漆器は、王侯貴族のコレクションをいろどるようになり、その後の漆器ブームのきっかけになったんだ。有名な話で言えば、十八世紀（江戸時代）、フランス王妃のマリー・アントワネットが蒔絵を施した香合や小箱を集めていたよ。それだけ日本製の漆芸品は人気を得てゆくんだ。

南蛮漆器

IHS椿蒔絵螺鈿聖餅箱《あいえいちえすつばきまきえらでんせいへいばこ》

「IHS椿蒔絵螺鈿聖餅箱」
桃山時代（16世紀末〜17世紀初頭）
高9.1cm　径11.4cm

キリスト教と漆器

ヨーロッパではどんなものが求められたの？

永島　お部屋を飾る豪華な家具とか教会で使う道具とかだね。これは教会の司祭《しさい》さんしか使わなかったから、たくさんは作られなかったけど、聖餅《せいへい》（イエス・キリストの身体を象徴するパンのこと）を入れるための容器「聖餅箱《せいへいばこ》」というものだよ。

高台寺蒔絵らしさを感じる秋草文様も描いてあるね！

永島　その通り。これが作られた桃山時代の日本では、螺鈿《らでん》はあまり流行っていなかったんだよ。

そうなの?!

永島　だけど、西洋人からの注文によって需要が高まって螺鈿も上手にとり入れられるようになったんだ。

そうなのかぁ☆　ところで、聖餅箱に書いてある、I、H、Sっていう英語はなに??

永島　「IHS《アイエイチエス》」というのは、ラテン語の「Iesus Hominum Salvator（人類の救い主イエス）」の略とされていて、イエスを象徴しているもの。Hの上に十字架が立っていて、下のハートに3本の針が刺さっていて、文字を囲むようにいばらの冠《かんむり》のような文様が施されているよね。これはイエズス会という修道会の紋章《もんしょう》だよ。

ひと目見て、キリスト教のものってわかる目印なんだね！

永島　そういうこと。次も教会で使われるもので、キリスト教の礼拝画を納《おさ》める「聖龕《せいがん》」だよ。

さっきとは違ってシンプルで文様は大柄に描かれているリン☆

永島　外枠の縁《ふち》をよく見ると、「南蛮唐草《からくさ》」と言われる文様。くねくねしてミトコンドリ

花鳥蒔絵螺鈿聖龕《かちょうまきえらでんせいがん》

南蛮漆器

「花鳥蒔絵螺鈿聖龕（三位一体像）」
桃山時代（16世紀末〜17世紀初頭）　41.3cm×29.8cm×5.8cm

アの断面図みたいで面白いよね。

ちなみに、日本でケースとなる外枠の部分だけを作ったあとは船に乗せられて、中の絵画は普通は後からはめ込んだらしいんだけど、これは外枠の背板に直接描かれてるの。メキシコで描かれたと考えられてるんだよ。メキシコでは南蛮漆器の影響で、油絵に螺鈿を組み合わせる工芸が発達したんだって。

花鳥蒔絵螺鈿角徳利《かちょうまきえらでんかくどくり》

重文「花鳥蒔絵螺鈿角徳利」　桃山時代（16世紀末〜17世紀初頭）
高30.2cm　縦11.8cm　横11.8cm

南蛮漆器

すごいリン！　海外の美術にも影響を与えたんだね。
ちなみに、ひと目見て南蛮漆器だとわかるポイントのようなところはあるの？

永島　じゃあ、比較してみよう。右は南蛮漆器「花鳥蒔絵螺鈿角徳利」で、左は高台寺蒔絵の作品「秋草蒔絵徳利」だよ。どちらも徳利だけど、見てみてどう感じたかな？

右はすごくキラキラ！　よく見ると、細かな螺鈿だね☆　左は黒い部分が多いリン！

永島　どちらも植物の文様だけど、高台寺蒔絵に見られる黒地の部分を残しながら文様を大きく描く特徴に対して、南蛮漆器は余白があまりなくて、びっしりとりデザインが施られているのが特徴かな。

うっとリン☆　どちらも本当にきれいだリン♪

秋草蒔絵徳利《あきくさまきえとくり》

「秋草蒔絵徳利」
桃山〜江戸時代
（16世紀末〜17世紀初頭）
高21.9cm　径11.6cm

花鳥丸紋蒔絵螺鈿書箪笥《かちょうまるもんまきえらでんしょだんす》

前の扉を開けてみると……

「花鳥丸紋蒔絵螺鈿書箪笥」
桃山時代（16世紀末～17世紀初頭）
43.3cm×60.8cm×34.7cm

「箪笥」は新しいかたちだった?!

永島　次に紹介するのは「花鳥丸紋蒔絵螺鈿書箪笥」という南蛮漆器だよ。前の扉を開けて倒すと、書きもの机として使えるの。

わぁぁ☆　引き出しがいっぱいあるから、いろんなものを入れられるね♪

永島　そうだね。今では家具として普通に使っている引き出しがたくさんある箪笥だけど、当時の日本ではまだ一般的ではなかったんだ。

えっ！　そうなの?!　2巻で平安時代にはふた付きの箱に収納していたってお話してくれたよね♪

永島　そうだったね。近世のはじめまでは今みたいに物をたくさん持っていなかったから、大きな箱で十分だったのかも。社会や生活様式の変化とともに、「引き出し付きの箪笥」が取り入れられるようになっていたと思うな。

そうなんだ！　そうなんだ！　細かな螺鈿がとてもきれいだリン♪

永島　これは日本で作られたもので、蒔絵と螺鈿を組み合わせているヨーロッパの人たちはインドや中国といったアジア各地を経由して日本に来たんだけど、それぞれの土地で「ご当地の技法と材料で作って欲しい！」と思ったみたい。同じような引き出し箪笥がインドでは象牙《ぞうげ》(ゾウの牙や歯から採取されるもの)や螺鈿、中国では漆塗りと箔絵《はくえ》、他にも竹細工で作られたこともあったんだ。

それはおもしろいリン！　ねぇ、箪笥の扉に描いてある十字架の外側にある4つの丸

枠は家紋？

永島　桜や花菱《はなびし》、九曜《くよう》、下り藤《ふじ》、三つ巴《どもえ》、桔《き》梗《きょう》、鉄線、松、竹など家紋風の文様があるね。正式な家紋かどうかは分からないけれど、この「家紋もどき」を何種類も描くのは南蛮漆器だけでなく、同じころの国内向けの製品にも多くみられる意匠なんだよ。高台寺蒔絵の影響を受けているのかもしれないね。

こういうものを和洋折衷《わようせっちゅう》っていうのかなぁ☆

海外での漆の手入れ

日本で作られた南蛮漆器は、ヨーロッパに輸出されていったんだよね？　漆が剥がれたりしたときはどうしていたんだろう？　もう一度日本に持ってくるのは大変だよね……。

永島　ヨーロッパには漆そのものがなかったし、現地で修理するしかない。人びとは考えて、現地で調達できる「ニス」を使って修理していたみたい。それがわかる作品が「花鳥蒔絵螺鈿櫃《ひつ》」なんだ。これは、78ページで紹介した角徳利を納める箱だよ。

さっきまでと印象が違うリン☆

永島　これはニスが酸化してしまった状態なんだ。ニスを塗ったばかりのときは、ピカピカだったと思うよ。大切だから、どうにかして修理しようとした苦労がわかる、貴重な作品だね。

花鳥蒔絵螺鈿角徳利および櫃《かちょうまきえらでんかくどくりおよびひつ》

日本で作られたものが海外でどう扱われていたのかを知ることができて面白かったぁ☆　大陸を渡ったものがこうして日本に戻ってくるってすごいことだし、日本文化を好んでくれたみたいで、うれしいリン♪

永島　西洋の影響を受けたというおおきなくくりで言うと、京博には他にもいろいろなものがあるよ。「明治古都館」や「表門」はその代表だし、京博のシンボルでもあるから、これらもよく見てほしいな。

もちろん！　さっそく行ってみるリン！永島研究員、今回もたくさんお話を聞かせてくれてありがとリン♪

重文「花鳥蒔絵螺鈿角徳利および櫃」
桃山時代（16世紀末〜17世紀初頭）
33.5cm×41.5cm×28.2cm

南蛮漆器をもっと知ろう！

南蛮漆器は日本だけのもの？

西洋人の注文を受けて作られた漆器は日本製のものだけでもなく、施された表現が日本の中だけで生み出されたわけではありません。また、日本からほかのアジアの国々を素通りして直接ヨーロッパに運ばれたわけでもないのです。

ポルトガル人たちはアジア各地の寄港地に密接に関係し、現地の技術・素材・文様などを用いて、日本の南蛮漆器と同じ規格のものを制作させています。例えば、インドのグジャラート地方では、全面を虹色に光る貝片を一枚一枚敷き詰めて鋲《びょう》を中央に打ち込んで留めるという技術が用いられました。日本でもシアム地方（現在のタイ）から鮫《さめ》皮を輸入して、木地の全面に張ってその上から黒漆を塗りこめ研ぎ出す技術があります。

いろいろな地域の文化がいろいろな地域に渡り、用いられ、発展していきました。

また、南蛮漆器を重宝したヨーロッパでも漆芸に対する関心はありました。17世紀のイギリスでは「ジャパニング」という模造漆が流行し、図版を豊富に挿入した技法解説書が出版されるなどして、西洋ニスを用いて日本の漆器のように仕上げる技術が生み出されました。

ジャパニングの図版集には、柳のような樹木、丈の長い服を着て傘を持つ人物、奇妙な植物や動物などが載っており、当時のイギリス人が抱いていた東洋のイメージがうかがえます。

18世紀のフランスやドイツでは、より本格的な模造漆が作られ、宮廷お抱えの職人も現れるようになります。蒔絵の技法のひとつ「高蒔絵」を再現する職人もいたようです。

ほかにも見たい！

南蛮漆器

花鳥獣蒔絵螺鈿洋櫃《かちょうじゅうまきえらでんようびつ》

大型の西洋式の櫃（洋櫃）。黒漆地に金銀の平蒔絵と螺鈿で幾何学文の帯を描き、その帯で区切った画面に動植物の文様を詰め込んでいる。細線には針描《はりがき》を用いて、鶴・孔雀《くじゃく》・虎などの動物、桐・椿・楓・桔梗・萩・野菊などの植物を描いている。このような洋櫃は西洋人の注文によって制作されたもので、現存する遺品から推してもかなりの数がつくられたものと思われる。

「花鳥獣蒔絵螺鈿洋櫃」
桃山時代（16世紀末〜17世紀初頭）　縦61.3cm　横91.3cm　高51.9cm

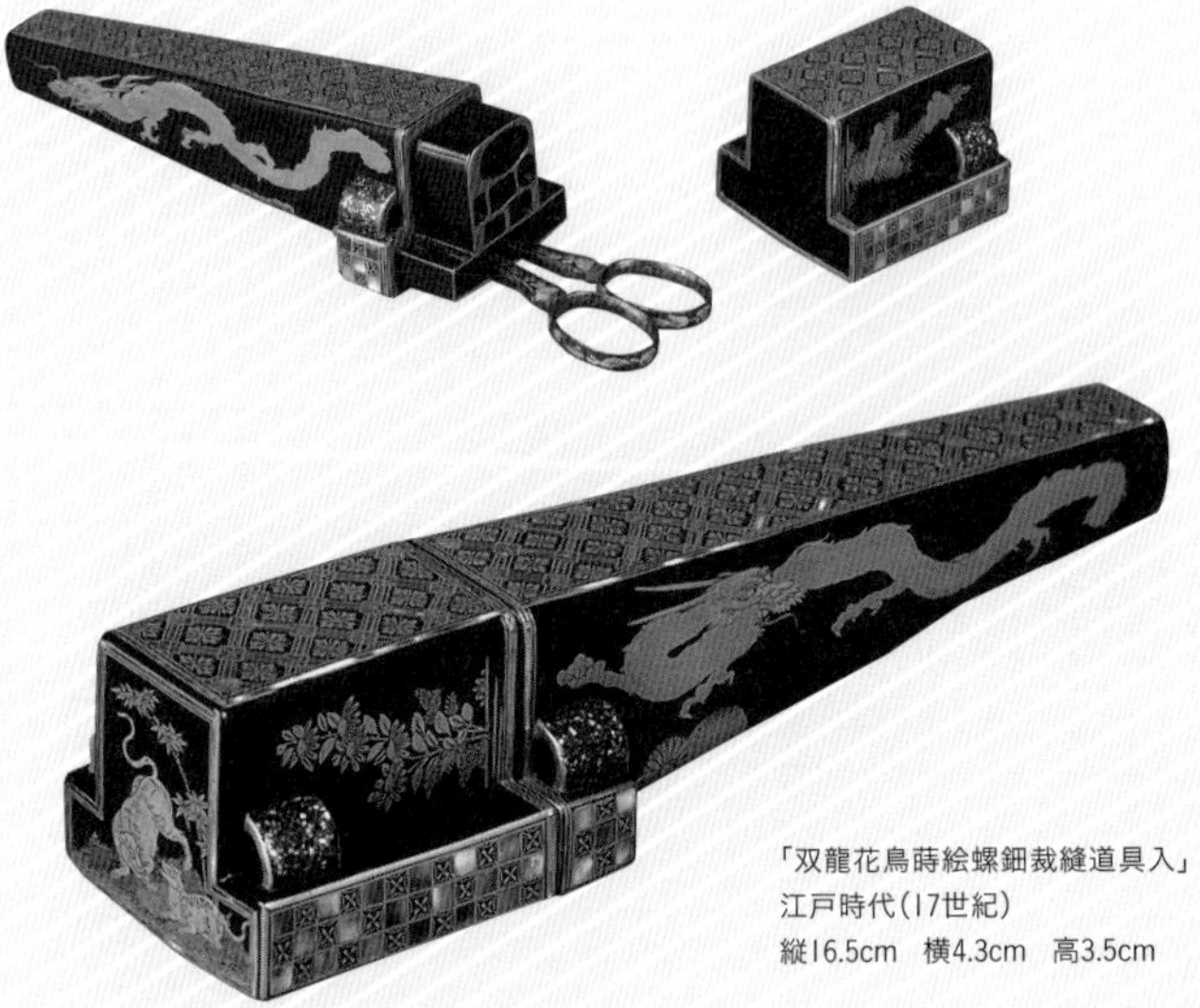

「双龍花鳥蒔絵螺鈿裁縫道具入」
江戸時代（17世紀）
縦16.5cm　横4.3cm　高3.5cm

双龍花鳥蒔絵螺鈿裁縫道具入《そうりゅうかちょうまきえらでんさいほうどうぐいれ》

17世紀に入ると江戸幕府の政策により、オランダとの貿易が盛んになった。輸出漆器の様式にも変化が現れ、螺鈿の使用が減り黒地の部分を広く残すようになる。本品は、南蛮漆器から新様式への過渡期の作にあたる。

本作は、蓋と身の側面に紐通し穴があり、ここに通した紐で蓋を閉じ、ちょうど印籠のように携帯することのできる裁縫用具入。17世紀のオランダでは、一家の主婦はスカートにそって腰から長い鎖《くさり》を垂《た》らし、鍵《かぎ》や裁縫道具入れをぶら下げた。蒔絵と螺鈿で飾られた例は今のところ世界で唯一。精緻な幾何学文、龍や鳳凰、竹に虎など、蒔絵も非常に細やかである。

—番外編—

明治古都館と表門

片山東熊の設計

今回も研究員のみんなのおかげでたくさん学ぶことができたリン☆　楽しかったなぁ♪　ん？　あそこにいるのは宮川研究員！　なにをしているの？

宮川　お、トラりん。ひさしぶりだね。元気にしてるかい？

元気いっぱいだリン！　で、いつもよりごはんもたくさん食べちゃった☆（エヘ♪）

宮川　それは良かった。トラりんが頑張ってくれるとたくさんのおともだちが京博に来てくれるはずだよ。
京博では、いまは平成《へいせい》知新館《ちしんかん》をメインにして展覧会をしているけど、京博のシンボルともいえる明治《めいじ》古《こ》都《と》館《かん》も活用していきたいよね。

明治古都館、レンガ造りの素晴らしい建物だもんね☆　そういえば、どうして「明治古都館」ていう名前なんだろう……？　明治時代に出来たからなの？

宮川　その通りだよ。明治古都館は、京都国立博物館の前身である「帝国京《ていこくきょう》都《と》博物館《はくぶつかん》」の展示場として明治28年（1895）に完成したんだよ。19世紀の終わりのことだね。

いまの名前も好きだけど「帝国京都博物館」もかっこいいね☆

宮川　そうだろう。カッコいいだろう（笑）。で、名前だけじゃなくて、豪華な装飾が目を引くバロックスタイルの外観も優雅でイケテ

いるだろう。

うんうん☆　とってもかっこいいリン♪　でも、日本の博物館なのに西洋風のデザインなのはどうしてなの？

宮川　明治という時代は、西洋諸国に追いつくことを目標に日本全体が頑張っていた時代。服装をはじめ生活様式のいたるところで洋風化が進められていくのさ。当時の「流行」といったら分かりやすいかな。だけど、建築が進められた当初は、「千年の都であった京都に洋風の建物はそぐわない」という反対もあったようだね。

いまは洋風の建物に見慣れているけど、当時のひとたちにとっては違和感があったのかもしれないね？

宮川　そうだね、30年前までは、まだみんなが丁髷《ちょんまげ》を結って、着物を着ていたんだからね。でも現在の京都人は意外にパン食が好きだったりするから、当時このような洋風建築を好意的に見た人もいたとは思うよ。帝国京都博物館の建設工事の担当となったのは宮内省内匠《たくみ》寮所属の宮廷建築家として新進気鋭の存在だった片山東熊《かたやまとうくま》（1853～1917）。長門《ながと》国萩（山口県萩市）で生まれた片山は工部大学校（現、東京大学工学部）造家学科でイギリス人建築家のジョサイア・コンドルのもとで学んだ。同期には後に東京駅を作った辰野金吾《たつのきんご》がいて、第一期卒業生の双璧《そうへき》と呼ばれたようだね。

超一流のひとだったんだね！

宮川　代表作の旧東宮御所《とうぐうごしょ》（現、迎賓館《げいひんかん》・東京赤坂）は明治以降の建築物としてははじめて国宝に指定されていて、片山が高く評価されていることが分かるね。他にも奈良国立博物館本館や東京国立博物館表慶館、神宮徴古《じんぐうちょうこ》館《かん》などを設計しているから、見学してみたら良いよ。どれも素晴らしい建築だからね。

わぁ☆　そうしてみるリン！　楽しみだリン♪

調整を重ねた設計

宮川　帝国京都博物館に話を戻すと、当初は三階建てとして設計されていた。だけど、基礎工事をしている最中に岐阜県や愛知県などを中心におきた濃尾《のうび》地震でレンガ造りの二階建て建物が甚大《じんだい》な被害を受けたこともあってか、一階建てに計画が変更されたという新聞記事があるようだね。
実際に工事に着手するまでに637枚の図面が作製されたんだけれど、その実施設計図は現在も「旧帝国京都博物館建築資料」として残されているよ。

600枚以上も図面があるの?! 明治時代だから……もしかして全部手書きなのかな?!

宮川　その一部を見てみようか。例えば屋根なら、最初は扁平《へんぺい》な曲線マンサード（外側の4方向に向けて2段階で勾配《こうばい》がきつくなる様式）で計画され、直線マンサードを経て、大ぶりな曲線のマンサードになった。図面を見比べると全然違うことがわかるだろう?

本当だ☆　全然印象が違うリン!　ボクは屋根に丸みがある方が好きだリン♪

宮川　優雅な印象があるよね。この建物は従来「フレンチルネッサンス」と評されているんだよ。片山はこの時期、厳正なルネッサンススタイルを追求しているんだけれど、この後、壮麗なバロックスタイルの旧東宮御所を生み出す。そのデザインの指向性が変化していく過程がさまざまな点から感じられるようだね。

ルネッサンスからバロックかあ……よくわからないけど、とってもおしゃれな響きだリン☆

宮川　こっちは内部の平面図だけど、部屋と部屋を繋ぐ出入り口が増えているね。

ハッ!!　真ん中の大きな部屋の出入り口が

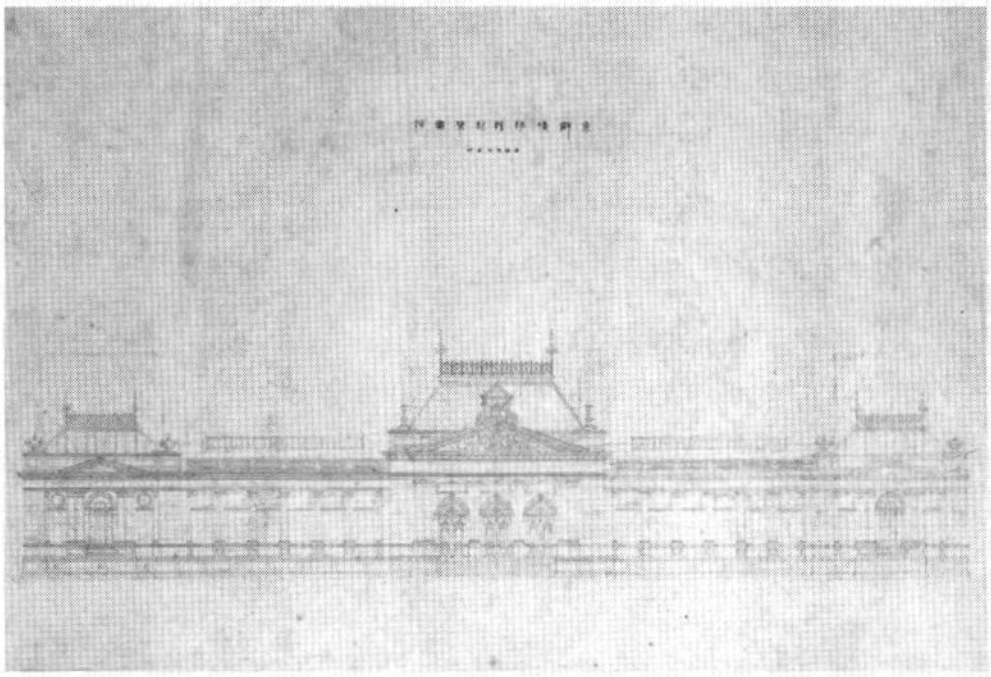

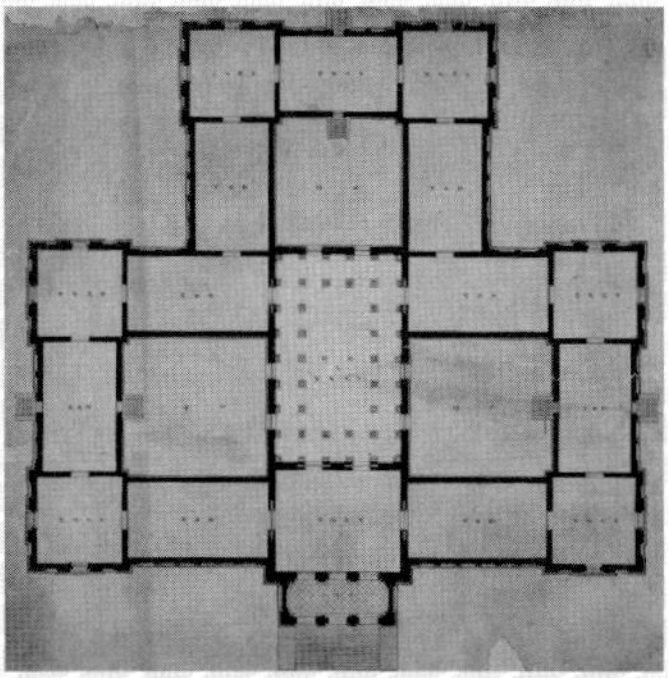

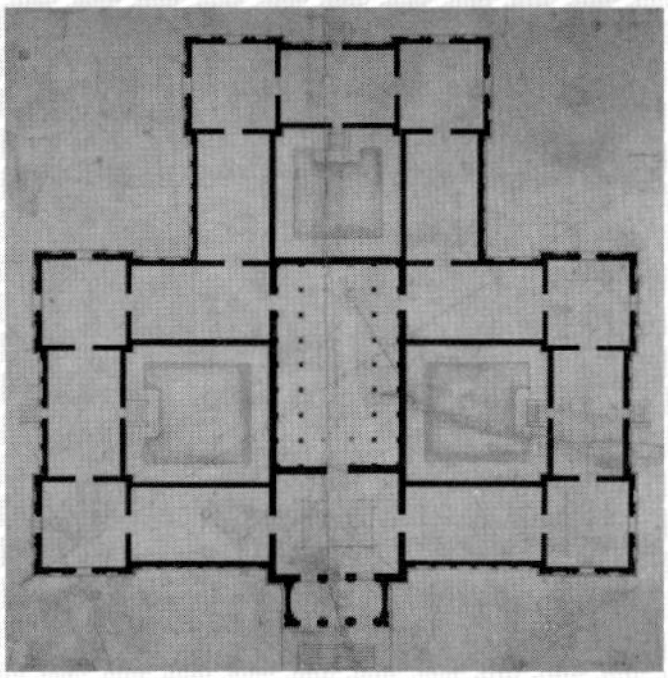

上右／「京都博物館新築図案平面百分之壹」 上左／「京都博物館新築図案正面百分之弐」 中右／「京都博物館新築平面百分壹之図」 中左／「本館正立面図」 下／「京都博物館玄関正面拾分一之図」

増えているリン！

宮川　帝国博物館総長を務めた九鬼隆一《くきりゅういち》や理事の岡倉天心《おかくらてんしん》（覚三）の印が捺《お》されているから、彼らと相談を重ねていったことが窺えるね。

それとこれは正面玄関の左半分の図面だけど、どうかな、現在のものと細かい部分が異なっていることが分かるかな。

な、なんとなく……。でもそれは、細かい部分まで細心の注意を払っていたってことだね☆

宮川　今度じ～っくり見てみると良いけれど、片山は同じ時期に奈良国立博物館などいくつも案件を抱えていたから多忙を極めていた。そんな中でもたびたび京都へ来て、敷地内にある事務所の一角を宿泊所としながら作業をしたようだね。それほど強い思い入れをもって取り組んでいたんだろうね。その熱意もあってか作業は順調に進み、明治25年6月の建設開始から3年の月日を費やして明治28年10月に竣工したんだ。その時の棟札《むなふだ》も残っているよ。開館は明治30年の5月だけどね。

棟札？　はじめて聞くことばだリン！

宮川　棟札っていうのは、社寺や民家などの建築や修築の記録として、棟木や梁《はり》など、建物内部の高いところに貼り付けた木製の札のことだよ。年月日や施主、大工の名前といった建築記録が書かれていて、明治古都館のも

帝国京都博物館全景（竣工直後、明治28年）

のは博物館関係者や工事関係者など46名の名前が記されている。

たくさんのひとの名前が書かれているね！九鬼隆一さん岡倉天心さん、片山東熊さんの名前もあるリン☆

宮川　この中には正面のペディメントのレリーフを石材に彫刻した山崎喜三郎の名前も見えるね。

毘首羯磨と伎芸天

ペディメントのレリーフ？

宮川　ペディメントっていうのは、屋根の妻《つま》側の端の部分のことだよ。日本風にいえば破風《はふ》だね。明治古都館の正面屋根の下にある三角形の空間に二人の人物の彫刻があるだろう？　レリーフっていうのはあれだよ。

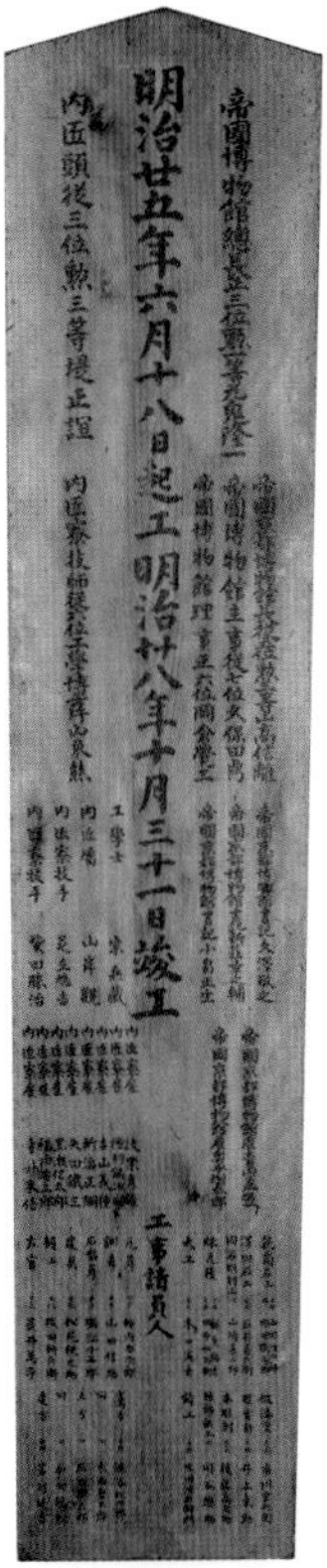

棟札

肘《ひじ》をついて横たわっているひとがいるリン！

宮川　そうだよ。で、トラりん、あれは誰なのかわかるかい？

左側はお爺《じい》さんみたいで、右側は女性のようだリン☆　でも、誰なんだろう……？

宮川　左側が男性で右側が女性というのは正解。それぞれ名前もあって、左側の男性は毘首羯磨《びしゅかつま》、右側の女性は伎芸天《ぎげいてん》といって、二人ともインドに源流をもつ神様だね。

神様?!

宮川　槌《つち》と鑿《のみ》を持った毘首羯磨は建築や彫刻、工芸などの芸術の神様。伎芸天は名前にある通り伎芸の神様。だけど、伎芸天は手に巻物と筆を持っているから学問の神様として位置づけられているのかもしれないね。そうすると、「芸術」と「学問」の神様がレリーフに表現されているってことになるね。

芸術と学問……、京博にぴったリンだね☆

宮川　そうだね。「芸術」が文化財の「保管・展示」、「学問」が「研究」を表現していて、共に博物館の大きな柱になっているね。このレリーフの原型となった木彫も残っているよ。

毘首羯磨は立派なお鬚《ひげ》で威厳があるリン！

宮川　顔は東洋風で、姿態や衣紋の表現はギリシャ風にまとめているんだけれど、ここに岡倉天心が東京美術学校ですすめていた歴史画の影響が感じられるね。

上／「破風装飾木彫原型・伎芸天」
下／「破風装飾木彫原型・毘首羯磨」

明治古都館の正面破風

表門のデザイン

宮川　「帝国京都博物館」の本館として作られた明治古都館と同じ時期に作られたのが表門（正門）だよ。明治古都館とともに、国の重要文化財に指定されているんだ。

明治古都館の正面にある門のことだね♪
こちらもレンガ造りで素晴らしいリン！

宮川　表門も当初は現状と全く違ったデザインで、門番所などの建物が付属しない門のみのデザインで計画されていたようだね。

門だけだと、さみしいリン。

宮川　片山たちもそう思ったのかはわからないけれど、門番所や巡査詰所、札売所（チケット売り場）の機能を加えた現在の案になったようだね。デザインを検討していた段階では、門番所や巡査詰所の屋根の上には鳥モティー

「表門平面・正立面図」

「表門番所正面之図　尺度二十分ノ一」

フのガーゴイル（雨樋《あまどい》の機能をもつ、怪物を模《かたど》った彫刻）が載る予定だったみたいだよ。

それも見てみたかった!!　でも、いまの表門もとっても気に入っているリン♪

宮川　表門から入ると、緩《ゆる》やかな傾斜の先に、東山の山並みを背景にした明治古都館が建っている。西洋建築に馴染《なじ》みの無かった当時の人々はとても感動したんじゃないかなあ。

古都京都に誕生した本格的な西洋建築は、はじめは違和感があったかもしれないけれど、今ではすっかり京都の街並みに溶け込んでいるリン♪　かっこよくて歴史もつまっているから、たくさんのおともだちに見てもらえたらいいなぁ☆　宮川研究員、ありがとリン♪

京都国立博物館本館（明治古都館）および表門全景

京博をもっと知ろう！④

京博の教育活動

※各巻の巻末特集では京博のさまざまな取り組みを紹介します。

京博での教育活動

トラりん　研究員のみんなのおかげで、日本の美術には海のむこうの国々への憧れも込められているってことがよくわかったよ♪

水谷研究員（以下 水谷）　トラりん、こんにちは。ご機嫌だね。

トラりん　水谷研究員、こんにちリン！ 研究員のみんなにいろいろなお話を聞かせてもらっていたリン♪

水谷　勉強熱心だね。そうだ、京博では展示以外にも様々な教育活動を行っているんだ。トラりんにも手伝ってもらおうかな。

トラりん　まかせてほしいリン！　ボクにできることなら、なんでもお手伝いするリン！　あれ……でも、京博の教育活動ってどんなことをしているのかな？

水谷　京博の教育活動の中で最も歴史がある

昭和11年（1936）の夏期講座の様子

のは、土曜講座や夏期講座などの講座だね。

トラりん　いつもたくさんのおともだちが来てくれているよね☆

水谷　そうだね。京博の研究員や外部の専門家がお話をする講座は、大正13年（１９４２）に始まったんだ。大正13年は、京博の名前が、「京都帝室博物館」から「恩賜《おんし》京都博物館」に変わった年だよ。それまで「皇室の博物館」という性格だった京博が、市民に開かれた博物館を目指す中で、講座も始まったんだ。

トラりん　展示室で作品を見たら、「これはなに？」「どうして？」ってもっと詳しく知りたくなるよね！

水谷　そういう声があったのかもしれないね。ほら、この写真みたいに、昔は本館（明治古都館）の中央ホールでお話をしていたんだ。

トラりん　お坊さんもいるね！　パソコンやプロジェクターはまだないから、黒板に書きながらお話ししてたんだ……！　歴史を感じるリン。

水谷　土曜講座は毎週土曜の午後に開催されていて、もう１９００回を超えているんだよ。

トラりん　そんなに！　ここでしか聞けない研究員さんたちのお話はとっても面白いだろうなぁ☆

水谷　長く続いている活動と言えば「博物館Dictionary《ディクショナリー》」もあるよ。平成４年（１９９２）から発行しているこの読み物は、展示作品について研究員が分かりやすく解説をしているよ。小学校高学年くらいから楽しく読んでもらえると思うな。作品の見どころや作られた背景、作った人のことなど、作品をより深く鑑賞するためのヒントを紹介しているから、トラりんも読んでみてね。

トラりん　「博物館Dictionary《ディクショナリー》」はボクも読んだことがあるよ！　ウェブサイトからも読めるから愛読しているリン♪

水谷　そうだったんだ！　トラりんは勉強家だね。ほかにも教育室では、いろいろな鑑賞ガイドを作って、館内で配布しているよ。海外から来た人のために、英語や中国語、韓国語版もあるんだ。そうそう、最近では、会場で借りられる音声ガイドに、ジュニア版も登場したんだ！　こちらも4言語で楽しめるよ。

トラりん　たくさんのおともだちが、ガイドをきっかけに文化財に親しんでくれたらうれしいリン♪

4言語の鑑賞ガイド

京博ナビゲーター

水谷　ところでトラりん、京博ではたくさんのボランティアスタッフが活動しているのは知ってるかな？

トラりん　もちろん！　みんなに京博を楽しんでもらえるように、いっしょにがんばってくれているメンバーだリン♪

水谷　そうだね！　名品ギャラリーの期間中、平成知新館のエレベーター前にあるミュージアム・カートで活動しているのが、「京博ナビゲーター」のみなさんだね。

トラりん　親しみを込めて「ナビさん」って呼んでいるリン☆

水谷　約２００名のナビさんが日ごとに交代で活動しているミュージアム・カートには、展示作品に関連した、触れる複製や、材料などが置いてあるんだ。博物館に展示してあるものは、どれも代わりのない大切なものばかりだから、実物を触ってもらうことは難しいんだけど、ミュージアム・カートで複製や材料を触ることで、文化財を身近に感じることができるんだよ。

トラりん　ボクも体験したことがあるよ！　ナビさんが使い方をやさしく教えてくれたり、鑑賞のヒントをお話ししてくれ

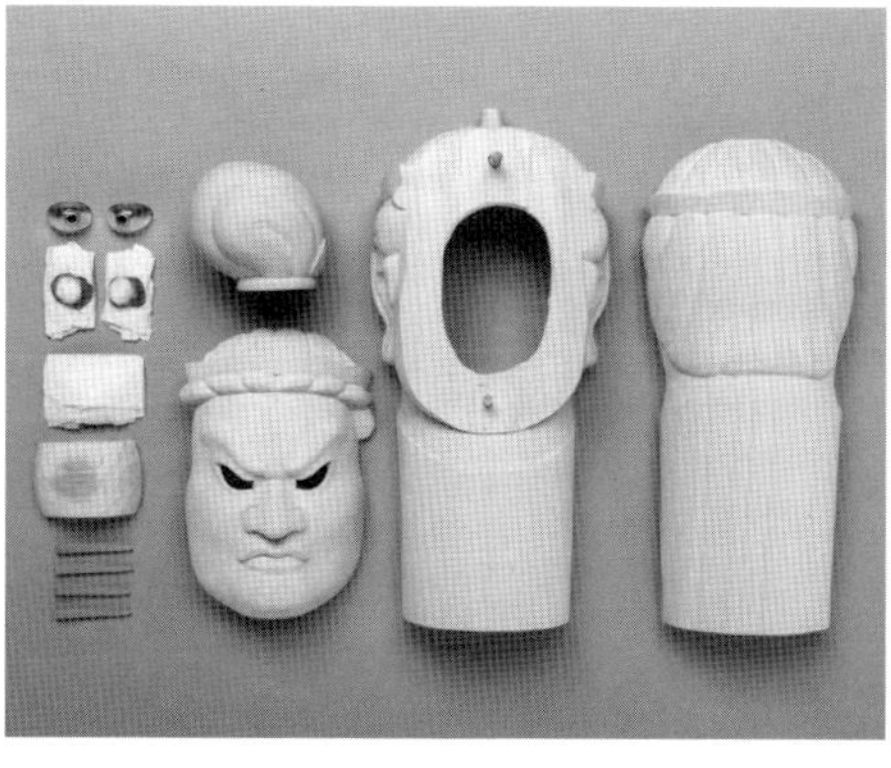

玉眼模型（天部）／写真提供：美術院

ミュージアム・カート（彫刻）

たりして楽しませてくれたリン♪

水谷　そうだね、ただ触るだけじゃなくて、ナビさんと一緒にいろいろお話できるのが、ミュージアム・カートの楽しいところだね。ナビさんの活動は「解説」じゃなくて、来館者のみなさんと「お話し」して、興味や関心を引き出すことを目指しているんだ。「人」と「人」が向き合ってお話しするから、小さな子どもから、文化財に詳しい大人まで、相手の興味や知識に合わせて対応できて、いろんな人に楽しんでもらえるんだよ。

トラりん　なるほど、深いリン……。そうだ、特別展のときは、ちょっと違う活動をしているんだよね？

水谷　特別展の期間中は、展示に関連したワークショップをしているよ。ワークショップでは、ナビさんとお話しながら、手を動かして、何かを作ったりするんだ。

トラりん　くじを引いたり、お絵かきもしたり、絵巻をクルクルしたり、楽しいワークショップがいろいろあったリン♪

水谷　トラりんには、いつもワークショップのチラシを作る時にモデルになってもらっているもんね。展覧会や展示作品について「もっと知りたい！」「もう一回じっくり見たい」って思ってもらえたらいいな、と思いながら、いつも教育室のみんなで

三角縁神獣鏡（復元鋳造）

ミュージアム・カート（考古）

内容を考えているよ。

トラりん　そういえば、京博ナビゲーターには、どんなひとがなれるの？

水谷　1か月に1度、博物館に来ることができて、18歳以上、日本語で日常会話ができて、活動の趣旨に共感してくれる人なら、だれでも応募できるんだ。

トラりん　え？　ホントに⁉　じゃあ文化財に詳しくなくてもいいってことなんだね☆

水谷　最初は詳しくなくても大丈夫！　基礎講座やワークショップごとの研修もあるからね。「京博ナビゲーターになってから、文化財を見るのが面白くなった」っていうひともいるんだよ。活動するなかで、それまで興味のなかった分野について知りたくなって、詳しく勉強を始めた人もいるんだ。ナビさん同士で集まって、ほかの博物館に見学に行ったり、勉強会を開いたりもしているみたい。

トラりん　みんな充実した毎日を送っているリン♪　ナビさんは、若いひとから年配のひとまで、いろいろなひとがいるよね。

水谷　20代から80代まで幅広い年代に活躍してもらっているよ。基本的には月に一日、決まった曜日の活動だからお仕事や

特集展示「謎とき美術！ 最初の一歩」での活動

ワークショップ（“くじ”で出会う禅のことば）

学業、おうちの事情で忙しい人も時間を作って来てくれているんだ。

トラりん　次はいつ募集するの？

水谷　実は２０２０年に第3期ナビゲーターを募集していたんだけど、新型コロナウイルスの影響で中断してしまったんだ。でも「さわる」「話す」というのは、人が何かを感じたり理解したりするために欠かせないものだし、ナビさんと交流するなかで、「文化財に興味を持った」という人がたくさんいるから、状況が落ち着いたら、また募集したいと思っているよ。

トラりん　そのときを楽しみにしているリン♪

文化財ソムリエ

トラりん　ところで水谷研究員、京博では大学生のおともだちも活動していた気がするんだけど☆

水谷　よく気が付いたね！　そう、京博には「文化財ソムリエ」という、京都市内の学校で訪問授業をする大学生・大学院生約20名がいるよ。

トラりん　文化財の「ソムリエ」？

水谷　文化財と初めて出会う人のために、楽しい出会いを演出する、という意味を込めて「文化財ソムリエ」と名付けられたんだ。この活動は、平成21年（２００９）から続いている活動で、京都国立博物館と、ＮＰＯ法人京都文化協会、京都市教育委員会が協力して実施しているんだよ。

トラりん　どんな授業をしているの？　詳しく教えてほしいリン♪

水谷　みんながよく知っている、俵屋宗達《たわらやそうたつ》の「風神雷神図屏風《ふうじんらいじんずびょうぶ》」（建仁寺《けんにんじ》蔵）や、雪舟《せっしゅう》の「天橋《あまのはし》立図《だてず》」（当館蔵）などの高精細複製を、京都市内の小中学校に持って行って授業をしているんだ。この授業で講師を務めるのが文化財ソムリエだよ。

トラりん　教室に本物そっくりの屏風や掛軸が来るんだ！　すぐ近くで見られて、迫力がありそうだリン☆　文化財ソムリエは、みんな先生になりたいっていう学生さんたちなの？

水谷　教育学を学んでいる人もいるけど、美術史や考古学、修復や保存、文学など、いろいろな専攻の人たちがいるよ。関西の様々な大学の人たちが、募集を見て個人で応募してくれるんだ。やる気のある人たちばかり！

トラりん　そうなんだ！　授業の内容は、どうやってつくっているの？

水谷　訪問先の学校の先生の要望も踏まえながら、文化財ソムリエのみんなが作っているよ。京博の作品担当の研究員に勉強会をしてもらって、作品について学んでから、授業の内容を考えるんだ。でも、勉強したことを全部子どもたちに伝えるわけじゃないよ。

トラりん　どうして？　ボクなら知っていることを全部しゃべりたくなってしまうリン……。

水谷　授業では、子どもたちに「自分で感じ、考えてほしい」と思っているんだ。作品に向き合って、そこから何かを感じ取ったり、想像したり、考えたりするための手助けをするのが文化財ソムリエの役割だよ。だから、作品の情報も必要な時にお話するけど、基本的には「何が描いてある？」「どうしてそう思った？」というように子どもたちの発言を引き出す問いかけをたくさんするんだ。

子どもたちが「自分で感じ、考える」手助けをしているんだよ

上／授業の様子（京都市立栗陵中学校）　中／授業の様子（京都市立上里小学校）
下／文化財ソムリエのスクーリングの様子

トラりん　そっかぁ☆　自分で考えたり見つけたりしたことって、ずっと心の中に残るもんね！

水谷　そうだね。授業を受けた子どもたちのアンケートでは「宗達さんのほかの絵を見たくなった」「文化財のことをもっと知りたくなった」という意見があって、訪問授業をきっかけに、文化財に興味を持ってくれたことが分かるよ。文化財ソムリエのみんなは、訪問授業のほかにも、京都市教育委員会と連携した中学生向けの行事や、博物館の外で行う子ども向けワークショップでも活躍しているんだ。

トラりん　「こども☆ひかりプロジェクト」っていう、全国の学芸員さんたちが協力して東北などでワークショップをするイベントにも一緒に行ったリン！　みんなちいさなおともだちと楽しそうに接していて、子ども達の目もキラキラ輝いていたリン♪

水谷　ところで「文化財ソムリエ」の活動は子どもたちへの教育の場としてだけじゃなく、将来、博物館や教育に関わる人たちの育成の場にもなっているんだよ。

トラりん　どういうこと？

水谷　文化財ソムリエの卒業生の中には、博物館の学芸員や学校の先生、そのほか、教育に関わるところに就職する人も多くいるんだ。相手に分かりやすく伝え、興味や関心を引き出す授業での経験が、役に立っているみたいだよ。

トラりん　ちいさなおともだちだけじゃなくて文化財ソムリエのみんなも、たくさんのことを学んでいるんだね！　教育室のことは、ときどきお手伝いしているから知っていたけど、今日お話を聞いて、あらためて大事なおしごとだって思ったリン♪

水谷　ありがとう。トラりんはこの本の中で、博物館は文化財を展示するだけの場所じゃなくて、保存・修復をして未来に伝えたり、調査・研究して分かったことをみんなに伝えたり、一緒に考えたりして、たくさんの人に楽しんでもらう役割があるって分かったよね。

トラりん　博物館の活動には、それぞれの分野の研究員や、いろんなおしごとをする職員、支えてくれるボランティアのみんな、たくさんのひとが関わっていることも知ったリン☆

水谷　そうだね。文化財を未来に守り伝えるために、多くの人に楽しんでもらうために、これからもみんなで様々な活動をしていこうと考えているから、トラりんも手伝ってね。

トラりん　もちろんだリン！　京博のＰＲ大使としてがんばるリン！　今日はいろいろ教えてくれてありがとリン♪

これからも応援よろしくお願いしますリン

「ミュージアム・キッズ！　全国フェア2018京都」（こども☆ひかりプロジェクト主催）での文化財ソムリエの活動

トラりんの絵日記

4月23日(金) 天気 ☀

4巻目のテーマは「異国人の憧れ」☆ 海の向こうの国人の憧れが生んだ美術を学んだリン♪

研究員のみんなのおかげで、日本人はむかしから海の向こうにある国に憧れて、いろんな文化を模範にしていたことがよくわかったよ♪

そして、「ナビさん」や「文化財ソムリエ」のみんなのがんばりのおかげで京博の教育活動がとってもいいものになっていることもわかったリン☆

これからも、研究員のみんなにいろんなことを教えてもらいながら学んでいくリン☆

研究員紹介

森 道彦　もり みちひこ

美術室研究員。専門は中世絵画。東京大学卒業。京都文化博物館学芸員を経て、2019年より現職。主要著作に『京を描く』（京都文化博物館、2015年）、『日本の表装』（京都文化博物館、2016年）、『「北野天神縁起絵」と北野社の風景』（京都文化博物館編『北野天満宮信仰と名宝』思文閣出版、2019年）など。

福士 雄也　ふくし ゆうや

美術室主任研究員。専門は江戸時代の絵画史。京都大学文学部卒業。京都大学大学院文学研究科博士前期課程修了。静岡県立美術館主任学芸員を経て、2014年より現職。

「特集 狩野派の世界2009」（静岡県立美術館）、「伊藤若冲―アナザーワールド―」（静岡県立美術館、2010年）など多くの企画展を担当。

主要著作に『池大雅―天衣無縫の旅の画家』（京都国立博物館、2018年）など。

降矢 哲男　ふりや てつお

調査・国際連携室兼工芸室主任研究員。専門は陶磁史、中世考古学、日本文化史。九州大学大学院人文科学府博士後期課程単位取得退学。茶道資料館などを経て、現職。

主要著作に『中国朝鮮の陶磁器』（淡交社、2018年）、編集図録に『京都国立博物館開館120周年記念特別展覧会　国宝』（京都国立博物館、2017年）、『美麗を極める中国陶磁』（京都国立博物館、2018年）など。

今回お話を聞かせて
くれた研究員たち☆
みんなありがとリン♪

永島 明子　ながしま めいこ

教育室長兼工芸室勤務。専門は漆工芸史。国際基督教大学、ロンドン大学、京都大学で学ぶ。京都大学博士（人間・環境学）。1999 年より京都国立博物館勤務。2017 年より現職。

主要著作に『japan　蒔絵―宮殿を飾る　東洋の燦めき―』（読売新聞大阪本社、2008 年）、『百獣の楽園―美術にすむ動物たち―』（京都国立博物館、2011 年）、『遊び』（京都国立博物館、2013 年）など。

宮川 禎一　みやかわ ていいち

特任研究員。専門は東アジアの考古学。京都大学大学院文学研究科修士修了（考古学専攻）。財団法人辰馬考古資料館学芸員を経て、1995 年から京都国立博物館考古室員、2006 年より同館学芸部考古室長、2020 年より現職。

主要著作に『藤原道長一極めた栄華・願った浄土一』（京都国立博物館、2007 年）、『全書簡現代語訳　坂本龍馬からの手紙』（教育評論社、2014 年）、『鳥獣戯画のヒミツ』（淡交社、2021 年）など。

水谷 亜希　みずたに あき

教育室主任研究員。専門は博物館教育。同志社大学大学院文学研究科博士前期課程修了（芸術学）。関市立篠田桃紅美術空間、岐阜県美術館を経て、2009 年より京都国立博物館勤務。2019 年より現職。特集展示「謎とき美術！　最初の一歩」（京都国立博物館、2018 年）などを担当。主要著作に、『文化財に親しむ授業ガイドブック』（京都国立博物館、2013 年）、『小さな瞳にワクワクを―平成 26 年度「文化財に親しむ授業」記録集―』(京都国立博物館、2015 年）など。

トラりんと学ぶ日本の美術④

異国への憧れ

令和3年5月13日 初版発行

監　修　京都国立博物館
発行者　納屋嘉人
発行所　株式会社 淡交社
　　　本社　〒603-8588 京都市北区堀川通鞍馬口上ル
　　　　　　　営業(075)432-5151
　　　　　　　編集(075)432-5161
　　　支社　〒162-0061 東京都新宿区市谷柳町39-1
　　　　　　　営業(03)5269-7941
　　　　　　　編集(03)5269-1691
　　　www.tankosha.co.jp

印刷・製本　株式会社ムーブ

ISBN978-4-473-04364-1

定価はカバーに表示してあります。

落丁・乱丁本がございましたら、小社「出版営業部」宛にお送りください。送料小社負担にてお取り替えいたします。